BUGAIL OLAF Y CWM

Llyfrau Llafar Gwlad

Bugail Olaf y Cwm

Huw Jones
(Gol. Lyn Ebenezer)

Llyfrau Llafar Gwlad
Golygydd y gyfres: Lyn Ebenezer

(ⓗ) testun: Huw Jones/Lyn Ebenezer

Argraffiad cyntaf: Gorffennaf 2007

Rhif Llyfr Safonol Rhyngwladol:
1-84527-121-1
978-1-84527-121-3

Mae'r cyhoeddwyr yn cydnabod cefnogaeth ariannol
Cyngor Llyfrau Cymru

Lluniau clawr a'r lluniau tu mewn: Huw Jones
Cynllun clawr: Sian Parri

Argraffwyd a chyhoeddwyd gan Wasg Carreg Gwalch,
12 Iard yr Orsaf, Llanrwst, Dyffryn Conwy, LL26 OEH.
☎ 01492 642031   📠 01492 641502
✉ llyfrau@carreg-gwalch.co.uk

Cyflwynedig
er cof am Dat a Mam
ac am Gwm Tywi,
'cwm tecaf y cymoedd'.

Y Flwyddyn Gron

Wrth edrych yn ôl, mae ambell flwyddyn yn sefyll allan fel un arwyddocaol iawn, blwyddyn sy'n dangos trobwynt mewn bywyd. Un o'r blynyddoedd hynny oedd 1947, blwyddyn a welodd luwchfeydd eira a barodd am fisoedd gan ddifa miloedd o ddefaid a newid bywyd rhai o drigolion y mynydd am byth. Bu gaeaf 1947 yn gyfrifol am golledion na ellir eu hamgyffred heddiw, ac nid colledion o ran eiddo yn unig oeddynt. I ni yn Nhywi Fechan uwchlaw Tregaron, yn arbennig, ni fu bywyd fyth yr un fath wedyn. Yn wir, bu'r cyfnod hwn yn gyfrifol am droi cwm a fu unwaith yn gymuned glòs a bywiog yn dir diffaith. Heddiw, does neb na dim ar ôl o'r hyn a fu yn Nhywi Fechan – dim ond gwacter, tawelwch ac atgofion. A daw'r rheiny'n ôl i'm swyno ac i'm poeni yn eu tro.

I mi, mae eleni (2007) yn garreg filltir mewn mwy nag un ystyr. Ddeng mlynedd a thrigain i eleni y ganwyd fi. Drigain mlynedd i eleni y daeth yr eira mawr a fu'n gyfrifol am yr allfudo. A deugain mlynedd i eleni y ffarweliais i â Chwm Tywi a throi am lawr gwlad ym Mlaencaron gyda Dat a Mam. O ran milltiroedd does dim llawer o bellter rhwng Pant-y-craf a Dolgoch, ond o ran ffordd o fyw mae yna wahaniaeth enfawr.

A minnau'n blentyn naw oed, bu'r eira mawr yn achos i'm gwahanu o'm cartref am fisoedd. Ar ddechrau 1947 roedd hi'n bryd i fi fynd yn ôl i'r ysgol. Roedd hi'n ddechrau tymor newydd, ac rown i'n mynychu'r ysgol yn Swyddffynnon gan letya gyda Tad-cu a Mam-gu, rhieni Mam, ym Mron-llan yn Ystrad Meurig. Gan fod Dolgoch mor bell o Ysgol Tregaron, roedd hi'n haws i fi letya gyda Tad-cu a Mam-gu yn ystod yr wythnos a mynd adre i Ddolgoch bob penwythnos a gwyliau.

Ar y bore arbennig hwn roedd eira wedi dechrau disgyn. Roedd yr eira i'w weld wedi aros ar dop y mynydd, ond doedd dim byd wrth ymyl y tŷ. Fe godais i fy nghalon; adre oeddwn i am fod. Fe feddyliais mai dyma fyddai'r diwedd ar y dwli o fynd i'r ysgol. Doedd dim gobaith y byddai'r un car yn gallu dod i'm nôl i. Rown i'n saff o gael aros adre am sbel.

Ond fe lwyddodd Dic Jones, a oedd yn rhedeg tacsi ym Mhontrhydfendigaid, i ddod yn agos at Ddolgoch erbyn tuag amser te gyda Tad-cu, William James Jones, yn gwmni iddo fe. Rwy'n cofio Nhad yn dweud wrth y gwas, Dic Pantafallen, am roi'r gaseg yn y gart. 'Paid â mynd ymhell,' medde Mam, 'fe fydd yn rhaid i ti ymadel yn fuan.' Roedd yn rhaid mynd â fi i gwrdd â'r car, a safai ar ben yr hewl fawr tua dwy filltir i ffwrdd. A bant â ni yn y gart – Mam gyda fi, a'r bagie wedi eu pacio ar gyfer aros ym Mron-llan am wythnos gynta'r tymor. Roedd y cŵn yn cyfarth nerth eu pennau wrth ein gweld yn mynd. Fe gyrhaeddon ni at y car, ond tra oedd Dat a Tad-cu'n siarad fe ddaliais i ar fy nghyfle. Bant â fi nerth fy nghoesau 'nôl am Ddolgoch – ond lwyddais i ddim i fynd ymhell. Fe ddaliodd Mam fi, a mynd â fi 'nôl at y car. A medde Mam, ar ôl i fi dawelu: 'Wna i ddim dod gyda ti heno. Mae hi'n bwrw eira.'

Fe fyddai Mam weithiau yn aros noson neu ddwy ym Mron-llan er mwyn i fi setlo i mewn. Ond ychydig a feddylies i, na hithau, na welem ein gilydd eto tan ddechrau mis Ebrill. Ie, tri mis cyfan heb weld Mam a Dat. A hyd yn oed pan wnes i ddychwelyd, cael a chael fuodd hi i fi gyrraedd adre o gwbl. Fe lwyddodd y car i fynd â fi mor bell â Llyn Berwyn, tua thair milltir i fyny'r mynydd o Dregaron, lle'r oedd Dat yn cyfarfod â ni. Roedd e'n marchogaeth merlen ac wedi dod â merlen arall gydag e ar fy nghyfer i. Byddai'n rhaid i ni deithio dros chwe milltir arall cyn cyrraedd Dolgoch. Roedd y rhai a oedd yn clirio'r ffordd yn gweithio o'r ddau ben – bois yr hewl yn clirio o gyfeiriad Tregaron, tra bod gweision y gwahanol ffermydd yn helpu gyda'r clirio o gyfeiriad y mynydd. Fe gymerodd hi wythnos arall cyn i'r ffordd gael ei chlirio'n llwyr.

Wedi meddwl, mae'n rhaid fy mod i wedi colli llawer o'r ysgol y gaeaf hwnnw er mai yn Swyddffynnon, ar lawr gwlad, oedd honno. Ond does gen i fawr o gof am y peth; i fyny yng Nghwm Tywi oedd fy nghalon i. Yno roeddwn i am fod, eira neu beidio. Ac yno, hwyrach, y byddwn i o hyd oni bai am y newidiadau mawr a ddaeth o ganlyniad i eira 1947.

I bobol y dre – a hyd yn oed i bobol y pentrefi – mae'n amhosibl iddyn nhw ddychmygu'r problemau a ddaeth yn sgil lluwchfeydd 1947. Hyd yn oed heb eira, roedden ni'n byw o dan anfanteision mawr. Doedd dim modd taro i mewn i'r siop i brynu pwys o siwgwr os bydde hwnnw wedi mynd yn brin. Fe fyddai'n anodd iawn cael meddyg i alw petai rhywun yn cael ei daro'n sâl. Roedd derbyn llythyron bob dydd yn rhywbeth y byddai pobol Tregaron yn ei gymryd yn ganiataol, ond hyd yn oed pan fyddai'r tywydd yn ffafriol, rhyw deirgwaith yr wythnos fyddai'r postmon yn galw gyda ni.

Mae'n anodd meddwl am y postmyn gynt yn galw ar bob tywydd gan deithio i fyny'r mynydd ac yn ôl ar gefn ceffyl. Galw yng Nghwmberwyn, dair milltir o Dregaron, ac yna ymlaen i'r Diffwys a Nantymaen,

8

Nantstalwyn a Maesglas, Soar y Mynydd (pan fyddai rhywun yn byw yn y Tŷ Capel) a Nantllwyd ac yna'n ôl. Gallai'r daith yn ôl ac ymlaen fod cyhyd â deng milltir ar hugain. Ond yn aml ar dywydd gwael byddai postmon yn treulio'r nos ar un o'r ffermydd cyn dychwelyd i Dregaron fore trannoeth.

Mae Evan Jones yn ei gyfrol *Cymdogaeth Soar-y-Mynydd* yn enwi nifer o bostmyn y mynydd: Tom Evans, Caenewydd; Dafydd Davies, Brynhownant a Simon Jones. Y postmon olaf y galla i ei gofio'n gwneud ei waith ar gefn ceffyl yw Dai Jones, Glanrafon-ddu.

Roedd Dolgoch yn lle gwael iawn adeg eira gan ei fod yn wynebu'r dwyrain; o'r cyfeiriad hwnnw y deuai'r stormydd. Ond roedd yno fantais wedi i'r storm fynd heibio, yn enwedig yn y Mis Bach a'r haul yn dod allan – fe fyddai'r cwm yn glanhau'n gyflym, yn wahanol i Nant-yr-hwch a Nantstalwyn. Byddai defaid y mannau hynny'n sownd nes y byddai'r eira wedi dadlaith, ond fe fyddai defaid Dolgoch yn tynnu allan pan ddeuai'r haul. Fe fydden nhw'n martsio lan i'r top fel sowldiwrs gan adael llwybr ar eu holau ac yna dod 'nôl lawr i waelod y cwm i gysgu'r nos. Ond pan fyddai'n bwrw eira, roedd Dolgoch yn lle caled.

Doedd y tywydd yn poeni dim ar Dat. Doedd e'n becso dim os byddai ei grys e'n gwlychu, ac fe fyddai hynny'n digwydd yn aml, ond wnâi e ddim goddef traed gwlyb. Os byddai esgid yn gollwng fe fyddai'n mynd ar ei union i brynu pâr o sgidiau newydd. Âi i siop D.R. Jones yn Aberystwyth, gan brynu sgidiau hoelion *Holdfast* bob amser. Weithiau fe fyddai Mam yn cwyno fod Dat yn cadw'i grys gwlyb amdano hyd yn oed yn y gwely, ond os oedd esgid yn gollwng roedd hi'n stori wahanol. A wisgodd e ddim byd ond sgidiau hoelion am ei draed erioed.

O Ysgol Swyddffynnon es ymlaen i Ysgol Uwchradd Tregaron, gan bara i letya yn Swyddffynnon. Roedd hi'n llawer iawn haws teithio rhwng Tregaron ac Ystrad Meurig ar y bws ysgol na rhwng Tregaron a Dolgoch. Fe fyddwn i'n mynd adre bob penwythnos – ar wahân i dymor cynta'r flwyddyn. Roedd Mam a Dat, ar ôl y profiad o fyw drwy eira 1947, yn ofni y gallwn i gael fy nal ar y mynydd am wythnosau a cholli llawer o ysgol. Yn Ystrad Meurig, pan fyddwn i yno dros benwythnos, roedd yr amser i'w weld yn hir. Felly fe fyddwn i'n treulio bob dydd Sadwrn ar fferm Ty'n Ddraenen gyda Huwi Owen a'r teulu.

Fe ddes i allan o'r ysgol fawr yn 1953 a dod adre i weithio. Roedd Dat wedi bod yn bugeilio Dolgoch er 1910; daliodd i wneud hynny hyd 1966, pan gymerodd y Comisiwn Coedwigaeth yr awenau. Roedd ganddo fe was a oedd yn bugeila gydag ef, ac fe fues innau'n bugeila am flynyddoedd mawr. Heddiw, fi yw'r bugail olaf a gafodd ei fagu yng Nghwm Tywi.

Roedd ganddon ni ychydig o wartheg hefyd, a'r gwas unwaith eto'n helpu. Ond unwaith bob mis roedd gan y gwas orchwyl rheolaidd – fe fydde'n mynd â'r gart a'r ceffylau i Dregaron. Y ceffylau cynta i mi eu cofio yn Nolgoch yw Bess a Robin. Roedd Dat yn mwynhau prynu a gwerthu ceffylau, ac os na wnâi e lawer o elw, doedd dim gwahaniaeth – roedd e'n ddigon hapus. Cyfansoddodd un o feirdd Ffair Rhos rigwm am un o'r ceffylau a brynodd:

> Iawn o ferlen i fugeila,
> Gweld pob cneifio yn ei dro;
> Ond toc, daw Ffair Gŵyl Grog –
> Fydd hi yn y pwll glo cyn Calan Gaea.

Er mwyn mynd i siopa i Dregaron fe fydde'r gwas yn cychwyn yn weddol fore ar daith a gymerai rhyw dair awr a hanner. Yng ngwesty'r Talbot, lle'r oedd stablau, fe fyddai'r ceffylau'n cael eu bwydo a'r gwas yn cael cinio. Weithiau fe fyddai Mam wedi gosod yr archebion ymlaen llaw y diwrnod cynt gyda'r gwas yn casglu'r nwyddau gan Peter Davies yn siop y Co-op, cyn cychwyn yn ôl. Y gobaith oedd cael cyrraedd adre cyn nos.

Fe fyddai pobol y mynydd yn dibynnu llawer ar y lleuad. Os byddai yna leuad ar ddechrau'r nos, fe fydden nhw'n gwneud defnydd ohoni. Gan y byddai'r gart yn llawn fe fyddai'n rhaid i'r gwas gerdded y deng milltir adre. Hyd yn oed os nad oedd mwy na phum pwn yn y gart, fyddai dim modd iddo reidio arni – roedd yn rhaid iddo fe gerdded. Ac ar ôl cyrraedd adre roedd yn rhaid cludo'r nwyddau dan do, bwydo'r ceffylau ac wedyn, ar ôl swper, fe fyddai'n amser i'r gwas fynd i'r gwely, ar ôl diwrnod hir. 'Nôl wedyn drannoeth at y gwaith bob dydd nes y deuai'n bryd i fynd ar yr un daith eto y mis canlynol.

Rwy'n cofio'n dda unwaith i Mam a Dat gael sachaid o fflŵr a oedd braidd yn llwyd, a phenderfynwyd nad oedd modd i ni ei fwyta. Ond doedd dim taflu i ffwrdd i fod, chwaith; cadwyd y fflŵr a chael sachaid arall yn ei le. Ond fel yr âi gaeaf caled 1947 yn ei flaen fe fu'n rhaid defnyddio'r fflŵr llwyd gan fod y sachaid arall wedi gorffen. Rwy'n cofio clywed am John a Glyn Nantllwyd yn cerdded draw drwy'r eira i ofyn am fenthyg ychydig o fflŵr ac fe gawson nhw gymaint ag y medren nhw ei gario. Mae un peth yn sicr am bobol y mynydd – roedden nhw'n bobol gymwynasgar iawn ac yn croesawu pawb i'w haelwydydd. Diwedd y stori oedd i ninnau wedyn, yn ein tro, orfod mynd i Nantstalwyn i fegian am fflŵr gan fod ein cyflenwad ni erbyn hynny wedi gorffen. Ond roedd Mam a Dat yn benderfynol o un peth – châi'r gwas byth fynd i'w wely a'i stumog yn wag. Roedd y ddau'n fodlon mynd yn brin o fwyd eu hunain cyn gweld y gwas mewn angen.

Pan fyddai'r gwas yn mynd ar ei daith i Dregaron i nôl nwyddau, fe fyddai ganddo fe amrywiaeth o archebion i'w casglu. Ond roedd un archeb na fyddai byth yn newid – ar bob taith fe fydde fe'n cael siars i brynu burum er mwyn i Mam fedru gwneud bara. Yn aml fe fydde unrhyw un a ddigwyddai ymweld â Thregaron yn dod 'nôl â burum ar gyfer y cymdogion. Roedd burum yn bwysicach na dim. Fe fyddai Simon Jones y postmon bob amser yn cario burum yn ei fag ar gyfer pobol y mynydd.

Ychydig iawn o beiriannau fyddai gyda phobol y mynydd. Yr unig bethau o bwys y medra i eu cofio yn Nolgoch oedd yr aradr a'r oged a'r injan lladd gwair. Roedd angen y rhain er mwyn codi ychydig lafur ar gyfer bwydo'r ceffylau yn y gaeaf. Fe fyddai pedwar neu bump cynhaeaf ar y mynydd, ac o blith y rhain roedd y cynhaeaf mawn yn bwysig iawn. Fydden ni ddim yn prynu glo, a doedd fawr ddim coed yn tyfu ar y mynydd i'w torri ar gyfer coed tân – ddim cyn i'r Comisiwn Coedwigaeth ddechrau plannu, o leiaf. Felly fe fydden ni a'r gweddill yn torri mawn fis Ebrill. Fel pob teulu, roedd ganddon ni ein pwll mawn ein hunain ar y mynydd ac fe fydden ni'n defnyddio dwy haenen o fawn – y mawn coch, neu'r rhosion, a oedd yn uchaf, a'r mawn du oddi tano. Y gwas fyddai'n torri'r rhai uchaf a finne wedyn yn eu codi nhw allan â phicwarch a'u taenu ar wyneb y mynydd. Nhad fyddai'n torri'r rhai duon. Roedd llai o'r rheiny, ond roedden nhw'n fwy o faint na'r rhai coch. Gosodid hwy wrth ochr y geulan i sychu ac yna eu codi, gan osod dwy neu dair ar ben ei gilydd. Wrth i'r rhai ar y brig sychu, câi'r rheiny eu codi gan roi mwy o awyr i'r haenau oddi tanodd. Os byddai'n dywydd da, fe fydden ni'n codi tas o fawn y tu allan. Fel arall câi'r mawn ei gadw yn y sgubor, ond ar ôl y cneifio y digwyddai hynny gan y byddai angen y sgubor ar gyfer cneifio. Roedd gair da i'r mawn oedd yn ein hardal ni am ei fod e'n galed, ac mae mawnen galed yn llosgi'n well nag un feddal. Roedd yna lawer iawn o dorri mawn ar Gors Caron, wrth gwrs, ond y farn gyffredinol oedd bod mawn y mynydd yn well na mawn llawr gwlad.

Y digwyddiad pwysig cyntaf o ran y defaid oedd ar y Gwener cyntaf yn Ebrill pan fyddai Nhad yn mynd i lawr i'w casglu nhw i ffald Hafod y Rhyd ar y rhos, i gyfeiriad Pontrhydfendigaid. Doedd dim ffens ar y comin. Cesglid y defaid yn ddiwahân gan wahanol fugeiliaid, hyd yn oed y defaid dieithr. Yna, ar ffald Hafod y Rhyd, fe fyddai gwahanol fugeiliaid yn dod i ddethol a didoli defaid eu ffermydd eu hunain o blith y gweddill. Câi'r defaid dieithr eu cymryd gan eu perchnogion a'u hailosod ymhlith y rhai y dylent fod yn eu plith. Yna byddai pob bugail yn gyrru ei ddefaid ei hun adre.

Fel y byddai'r dydd yn mynd yn ei flaen, fe fydde hi'n mynd yn brysur ar y mynydd. Ar ben y bugeilia a gorchwylion eraill oedd yn ymwneud â'r defaid, roedd yn rhaid ffermio er mwyn darparu bwyd i'r creaduriaid. Ar ddiwedd Ebrill byddai'r ebolion yn dod adre. Byddai gyda ni lawer o geffylau allan ar tac, ac fe fyddai eu hel nhw 'nôl i'r mynydd ar gyfer yr haf yn ddiwrnod mawr iawn i fi. Cychwynnem o Ddolgoch tua hanner awr wedi chwech y bore i lawr i'r Talbot yn Nhregaron, lle bydden ni'n torri'r siwrne gyda phaned o de. Ymlaen â ni wedyn i fferm Esgairhendy, lle'r oedd ganddon ni rai merlod, a'u troi nhw allan i'r ffordd fawr. Ymlaen wedyn am Gefnllwyn, Swyddffynnon, lle bydden ni'n casglu rhagor. Yna, ymlaen i Dy'n Ddraenen, Swyddffynnon, erbyn y prynhawn.

Yno, câi'r ceffylau a ninnau ein bwydo ac yna ymlaen â ni i Ddolfor ger y Trawscoed, lle byddai tuag ugain o ferlod tac yn dod i gyfarfod â ni o wahanol ffermydd. 'Nôl â ni wedyn i Dy'n Ddraenen y noson honno ac aros yno. Y bore trannoeth fe fydden ni'n casglu pedair neu bump o ferlod ar fferm Cruglas ar lan Cors Caron gan ailymgynnull yn Nhy'n Ddraenen i gael cinio, ac yna 'nôl â ni am Ddolgoch; cychwynnem ar ôl cinio a chyrraedd adre rhwng pump a chwech o'r gloch – taith o dros ugain milltir.

Ar y daith honno, ar ôl gadel Pontrhydfendigaid am y mynydd, fe fyddai tri llidiart. Yn gyntaf byddai Llidiart Penmaengwyn, rhwng Ystrad Fflur a Phantyfedwen; yna deuai Llidiart Bwlchgraig, ar ben lôn Hafodnewydd, a'r trydydd, Pantycarnau, a'r merlod yn ymddwyn yn dda nes mynd drwy'r llidiart olaf hwnnw. O fynd drwy hwnnw fe fyddai'r ebolion yn dechrau prancio, yn union fel petaen nhw'n gwybod eu bod nhw'n closio at adre. Ar ôl cyrraedd Dolgoch fe fydden ni'n eu bwydo nhw ag ychydig o wair, yna bydden nhw'n troi ac yn dychwelyd i'w cynefin ar eu liwt eu hunain. Roedd pob un yn adnabod ei le. Erbyn yr hydref fe fyddai'n rhaid mynd â'r cyfan, tua hanner cant ohonynt, yn ôl i lawr gwlad cyn y gaeaf, gan na allent dreulio'r cyfnod hwnnw ar y mynydd. Ond, heb os nac oni bai, hel y merlod tac oedd fy hoff weithgaredd i.

Ddiwedd Mai fe fyddai'r cymdogion yn helpu ei gilydd i farcio'r ŵyn, a phan ddeuai'r galw am gymorth rhaid fyddai gadael popeth arall. Ar ddechrau Mehefin y byddai Dolgoch yn nodi'r ŵyn. Yna, ymhen rhyw dair wythnos, fe fyddai'n bryd cneifio yn Nolgoch. Doedd dim llawer o amser i'w wastraffu ar gynaeafu mawn a gorchwylion eraill – paratoi ar gyfer y cneifio oedd yn bwysig.

Roedd gan Ddolgoch, fel pob fferm fynydd arall, ei nod arbennig ac roedd yna rigwm i'n helpu ni i gofio'r nod hwnnw:

Nod Dolgoch ar hyd yr oesau
Ydi torri blaen y clustiau,
Tac bach twt o dan y nesaf,
A'r un fath o war y pellaf.

Tad-cu ddysgodd y rhigwm yna i fi. Mae gen i ryw gof mai e wnaeth ei gyfansoddi hefyd. Mae'r gyllell nodi clustiau gen i hyd heddiw ac rwy'n dal i'w defnyddio ar gyfer defaid Pant-y-craf. Ar y dydd Gwener olaf o fis Mehefin yr arferid cynnal diwrnod cneifio Dolgoch. Ar un adeg, Dolgoch – gyda thros 2,500 o erwau – oedd un o'r ffermydd defaid mwyaf ar Fynydd Tregaron.

Byddai'r bugeiliaid yn cychwyn crynhoi'r defaid am 4.30 y bore, wrth iddi wawrio. Roedd coeden ysgawen yn tyfu ar y clos, ac os na fyddai honno yn ei blodau erbyn diwrnod cneifio, yna gellid bod yn siŵr y byddai'r defaid yn anodd eu cneifio. Ond os oedd hi yn ei blodau, yna byddent yn cneifio'n hawdd.

Os oedd y bugeiliaid yn cychwyn yn gynnar, byddai'r menywod yn cychwyn hyd yn oed yn gynharach – rai dyddiau cyn hynny, mewn gwirionedd. Yn wir, byddai rhai o'r menywod yn treulio wythnos neu fwy ar y mynydd yn mynd o gneifio i gneifio, gyda rhai'n dod i Ddolgoch ac aros y nos yno. Un o'r ychydig rai sydd ar ôl yw Bet Williams, neu Bet Evans cyn iddi briodi. Byddai Bet yn cyrraedd ar y dydd Llun cyn y cneifio ac yn aros am wythnos i helpu. Fe fu ei brawd, Defi Evans, Ochr Garreg, yn was yn Nolgoch am dri chyfnod, gan dreulio cyfanswm o ddeng mlynedd gyda ni. Roedd rhyw dynfa arbennig yn perthyn i Gwm

Tywi, a thueddai'r gweision a'r morynion i ddod 'nôl dro ar ôl tro.

Gwaith y menywod fyddai corddi ar gyfer menyn a chrasu bara a dau fath ar gacen, sef cacen gyrens a chacen blaen. Byddai mynychwyr y cneifio'n bwyta brecwast, cinio, te a swper yn Nolgoch. Bara menyn a chaws fyddai'r arlwy i frecwast, tra ar gyfer cinio byddai darn anferth o gig eidion wedi'i rostio, gyda phwdin reis i ddilyn. Cinio'r un fath â chinio dydd Sul fyddai cinio cneifio, gyda'r cig yn oer ond y llysiau'n dwym. Roedd modd eistedd tua 20 o ddynion ar y tro, ac ar ddiwedd yr eisteddiad olaf – pan fyddai angen ail-gydio yn y gwaith – galwad Nhad bob tro fyddai, 'Pawb i'w le!' A chodai pawb yn anfoddog i fynd at ei orchwyl. Amser te ceid eto fara menyn a chaws, ond gyda chacen hefyd y tro hwn, ac i swper byddai cig oer bob amser ar y bwrdd.

Cyfnewid fyddai llawer o'r dynion, sef rhoi o'u llafur am ddim tra byddai Nhad a'r gwas wedyn yn gwneud yr un peth ar ddyddiau cneifio ffermydd eraill. Deuai dwy lorri – y naill o Bontrhydfendigaid a Ffair Rhos a'r llall o Dregaron – i gludo'r dynion talu. Ond ar geffylau y deuai'r mwyafrif, gyda rhwng 80 a chant o geffylau mewn ambell gneifio. Byddai'r cneifwyr cyfnewid a ddeuai i Ddolgoch yn dod o gylch o rhwng saith a deg milltir – o fynydd Llanddewibrefi i Ffair Rhos, lawr i Ystrad Ffin ac yn ôl i Abergwesyn, draw i Biwla ac allan mor bell â Chlaerwen yng Nghwm Elan.

Cyn 1947 roedd yna gneifio mawr yn Nolgoch. Yn 1944 roedd 85 o welleifwyr ac ymhell dros gant i gyd yn Nolgoch. Y flwyddyn honno cneifiwyd dros 2,000 o ddefaid a thua 700 o ŵyn.

Yn ogystal â'r cneifwyr roedd angen dalwyr, dau neu dri i 'gario lan', sef cludo'r defaid i'w cneifio, a thua'r un faint i 'gario allan', neu 'gario lawr', sef cludo'r defaid oedd wedi eu cneifio. Fe fyddai angen rhywun, wrth gwrs, i ddosbarthu llinynnau i'r cneifwyr eu defnyddio i glymu traed y defaid. Yna ceid gwlanwr yn casglu'r gwlân a dau gnufiwr yn ei lapio.

Ar y clos, byddai gwely o redyn ar gyfer y defaid oedd wedi eu cneifio, a doctor i iro clwyfau â *Stockholm Tar*. Yna byddai pitshwr yn gosod marc y teulu ar ystlysau'r defaid. Ac roedd gan y pitshwr waith arall diddorol – fe fyddai'n arfer cyfri'r defaid fesul deg gan alw allan hefyd nifer y llydnod a'r hyrddod. Yna byddai dyn yn eistedd ar fainc gerllaw yn dal darn hirsgwar o bren – yn ein hachos ni, Rhys Jones, Glangwesyn, oedd yn gwneud y gwaith – gan farcio 'X' â chyllell am bob deg dafad, a marc union ar gyfer pob llwdwn neu hwrdd. Dyma'r unig gyfle gâi'r ffermwr i gyfrif ei stoc.

Roedd y dull o dalu'n ddiddorol. Roedd angen gwahaniaethu rhwng y rhai oedd yn gweithio ar eu liwt eu hunain a'r rhai oedd yno fel cyfnewid, a'r un oedd yn gwybod y gwahaniaeth oedd Tom Jones, Nantllwyd. Byddai'r talu yn digwydd yn y stabl, gyda Tom a Dat yn eistedd un bob pen i fainc. Y tâl oedd chweugain, gydag ychydig yn fwy i'r dalwyr, ond ychydig yn llai i'r gweddill – yn cynnwys tua hanner coron i blant am ddosbarthu llinynnau a doctora.

Ar ôl y cneifio, câi'r gwlân ei gadw yn y llofft stabal. Wedyn, cyn diwedd mis Hydref, fe'i teflid i lawr a'i sacho, neu ei osod mewn sachau, a'r rheiny'n sachau mawr yn dal tua phum can pwys. Câi'r sachau wedyn eu cludo yn y gambo i ben y lôn ac yna yn y gart – neu ar lorri mewn blynyddoedd diweddarach – i stesion Tregaron cyn cael eu cludo ar y trên i Bradford.

Daeth yr ergyd fawr gyntaf i'r ffermwyr defaid yn sgil eira mawr 1947 pan gafwyd chwe wythnos ddi-dor o eira a rhew. Collodd y mwyafrif o'r ffermwyr dri-chwarter eu stoc. Yna, erbyn 1958, gwelwyd datblygiad arall – roedd llawer o bobl y fro wedi mynd i weithio ar gynllun dŵr Llynnoedd Teifi, a dynion o'r herwydd yn brin. Dyna pryd y penderfynodd Nhad droi at gneifio â pheiriannau o dan gytundeb, gyda chriw o gneifwyr yn cytundebu i wneud y gwaith i gyd am swm penodol o arian.

Pan ddeuai diwrnod cneifio i ben, fe alla i gofio rhai o'r hynafgwyr yn dweud, 'Dyna gneifio Dolgoch drosodd. Erbyn yr un nesaf fe fydd llawer tro ar fyd.' Ac fe fyddai hefyd. Dim ond dau o'r cneifwyr o'r hen ddyddiau sydd ar ôl yn y fro heddiw, sef John Jones, Nantllwyd, a Rhys Jones, Gorwel, Tregaron.

Roedd gan bob fferm a thyddyn ar y mynydd eu diwrnod cneifio eu hunain. Ymhlith y rhai cyntaf byddai Dolgoch a Nant-yr-hwch, wedyn deuai cneifio Nantstalwyn, ac ar y dydd Gwener canlynol, Nantymaen gyda Fronhelem ar y dydd Mawrth ar ôl hynny. Dilynid hyn ar y dydd Llun gan gneifio Nantllwyd, gyda chneifio Tywi Fechan ar y dydd Gwener.

Gyda Dolgoch ymhlith y rhai cyntaf i gneifio, byddai tair wythnos yn mynd heibio cyn y cneifio olaf, sef cneifio Tywi Fechan. Roedd pedair esgair yn Nolgoch, sef Cefnisaf, Esgairgerwyn, Hirnant a Nantybont. Y lot gyntaf i'w chneifio fyddai Nantybont a'r lot ddiwethaf i'w chneifio yn y cwm ar ddiwedd y tymor cneifio fyddai Twyni, a oedd ar dir Tywi Fechan. Roedd yr esgeiriau'n llunio cylch fel wyneb cloc, felly roedd

Nantybont, yr esgair gyntaf yn y tymor i'w chneifio, yn ffinio â'r esgair olaf, sef Twyni, ar dir Tywi Fechan.

Pan fyddai'r tymor cneifio ar ben byddai'n dod yn dymor cywain gwair, ac fe fydden ni'n cadw ychydig dir ar gyfer codi gwair gwndwn. Doedd dim llawer o beiriannau ac offer at y gwaith hwnnw ar y mynydd, dim ond injan ceffyl, rhaca a phladur. Ar ôl torri ychydig bach o wair byddai pob un yn mynd allan â phigau – neu fforch – er mwyn ysgwyd y gwair a'i awyru cyn ei adael i sychu. Os na fyddai'n ffit i'w gywain ar ddydd Sadwrn, rhaid fyddai ei fydylu gan nad oedd neb yn cyffwrdd â'r gwair ar ddydd Sul. Yna, ar y bore Llun, os byddai'r gwair yn barod, câi ei gario fesul mwdwl. Nerth bôn braich fyddai'r gwaith i gyd.

Ond yr un mor bwysig oedd torri gwair cwta, a byddai hynny'n digwydd ar ôl cynaeafu'r caeau gwair wrth ymyl y tŷ. Ar ôl ei dorri fe fydden ni'n ei gasglu ynghyd â rhacanau bach a'i wneud yn fydylau, a thrwy hynny ei wneud e'n haws ei gywain. Yn yr hen ddyddiau fe fyddai gan ffermwyr y mynydd gerti arbennig ar gyfer y gwaith – certi gweddol hir, gydag ochrau uchel, fel na fydded yn troi drosodd. Un ceffyl fyddai'n tynnu pob cert, ac mae Evan Jones yn ei gyfrol yn nodi iddo fe weld dwy o'r certi hyn yn Nolgoch. Roedd y llwybr a gymerai'r gart i gario gwair at y tŷ i'w weld yn glir yn Nolgoch hyd yn gymharol ddiweddar. Câi'r gwair wedyn ei storio ar y dowlod, neu'r daflod, ac roedd y creaduriaid – y gwartheg yn arbennig – yn hoff iawn ohono.

Ar gyfer torri gwair cwta roedd angen tipyn o awch, neu fin ar y bladur, ac yn hynny o beth roedd Dat yn arbenigwr. Roedd hi'n anodd dod o hyd i well hogwr nag e. Dydw i ddim yn honni fod Nhad yn well bugail na neb arall, ond roedd e'n grefftwr ar rai pethau. Un o'r rheiny oedd hogi pladur, ac roedd angen cryn awch i dorri gwair gweunydd. Un arall o'i grefftau oedd dal ebolion gwyllt. Unwaith y cydiai Nhad mewn poni wyllt doedd dim gobaith iddi fynd yn rhydd.

Roedd Nhad a Tom Jones, Nantllwyd, yn ddau o'r un cyfnod – dau ddrygionus iawn pan oedden nhw'n ifanc. Mae yna stori amdanyn nhw yn Ffair Rhaeadr Gwy, lle'r oedd rhywun wedi prynu ebol. Roedd y prynwr yn methu'n lân â chael coler am ben yr anifail, ac er iddo gael help, fe fethodd y rheiny hefyd. Roedd Dat a Tom Jones yn sefyll yno'n gwylio pan ddigwyddodd un o'r ffermwyr droi atyn nhw a dweud: 'Rwy'n deall eich bod chi'ch dau'n giamstars ar y gwaith hwn. Daliwch e!' Fe gytunodd y ddau ar yr amod fod y gweddill o'r dynion yn cadw'r cylch ebolion yn dynn. Ac meddai Dat: 'Fe gydia i yng ngwar yr ebol ac fe wnaiff Tom gydio yn ei gynffon, a pheidiwch â chyffwrdd ag e nes bydda i wedi gosod y coler am ei ben e.' Ac yna dyma'r ddau yn tynnu'r ebol atynt nes bod ei gorff e'n plygu fel cryman. Fedrai'r ebol ddim symud. Roedd e fel hanner cylch, gyda'i ben a'i gynffon bron yn cyffwrdd. Roedd y ddau yn gweithio fel pâr – Dat yn eithriadol o gryf a Tom Jones yn eithriadol o ystwyth. Partneriaeth berffaith. Fedrai'r ebol ddim symud modfedd. A phan fydda i'n sôn am ebol gwyllt, nid cyfeirio at greaduriaid hanner swci fel sydd i'w cael heddiw ydw i, ond rhai gwirioneddol wyllt. Weithiau fe gaech chi geffyl pump neu chwech oed heb fod neb wedi cyffwrdd ag e. Er hynny, fe fyddai Dat a Tom Jones yn eu dal nhw'n hawdd.

Erbyn diwedd mis Awst byddai'r gwair i gyd wedi'i gywain, ac erbyn canol mis Medi roedd hi'n bryd i wneud y dipio. Unwaith eto, helpu'n gilydd fydden ni. Fe fydden ni'n dipio ger afon Tywi, yn union o flaen y tŷ – roedd pwll dipio wedi'i greu yno a'r dŵr yn cael ei gludo o'r afon mewn bwcedi i'w lenwi. Roedd cael yr afon mor agos yn fantais fawr. Ar haf sych fe fydden ni'n cario dŵr o'r afon mewn casgenni, ond roedd yna hefyd bistyll gerllaw'r tŷ ar gyfer ein hanghenion. Ar gyfer dipio fe fydden ni'n defnyddio cemegolyn o'r enw *Dieldrin*, ac er ei fod e'n stwff drud roedd yn rhaid ei gael. Ar ôl dipio doedd yna ddim y fath beth â'r scab yn bod, a dim sôn am unrhyw wenwyn yn y cemegolyn chwaith. Ar ôl y dipio fe fyddai defaid Dolgoch, Nant-yr-hwch a Nantstalwyn yn croesi ar draws ei gilydd, yn rhydio nentydd ac afonydd heb gael unrhyw effaith andwyol ar bysgod. Heddiw mae yna rhyw ffws a ffwdan fawr ynghylch dipio defaid a'r perygl o wenwyno pobol a chreaduriaid. Chawson ni mo'r broblem honno o gwbwl.

Yn dilyn y dipio fe fyddai hi'n gyfnod cywain llafur, neu ŷd; fel gyda'r gwair, câi'r ŷd ei dorri â phladur. Hoff hadau pobol y mynydd oedd *Castleton*. Fe fydden ni, bob gwanwyn, wedi hau digon o hadau i fwydo dau geffyl ac eboles am y gaeaf, o Galangaeaf hyd ddiwedd mis Mai. Fe gâi'r llafur ei tsiaffo â llaw a'i gymysgu â gwair ar eu cyfer. O ran cynaeafu, wedi i ni dorri â phladur, fe gai'r ŷd ei rwymo gyda phob ysgub yn cael ei rhwymo â rheffyn o lafur; doedd dim angen cortyn. Yna câi ei stacano, neu ei stacio. Weithiau fe gâi ei sopynna cyn ei gario i'r ydlan i'w osod yn das neu helem – roedd helem yn gron a thas yn hirsgwar.

Y gwaith nesaf fyddai mynd fyny i'r mynydd i dorri brwyn ar gyfer toi'r das neu'r helem i'w diddosi am y gaeaf. Ar ôl gorffen toi câi'r cyfan ei glymu â chortyn ac yna byddem yn nôl tywarchen fawr o ochr y mynydd i'w gosod ar y brig er mwyn dal popeth yn ei le.

Yna deuai'n amser i dorri rhedyn ar y mynydd i'w daenu o dan y ceffylau a'r gwartheg dros y gaeaf. Y ffordd hawsaf o gael y rhedyn i lawr ar ôl ei dorri oedd ei dwmblo i lawr y llethrau'n fwndeli fel ei fod e'n gyfleus i'r gambo.

Hel tatw oedd y dasg nesaf. Câi eu hanner eu cadw dan do a'r gweddill eu gadael mewn cladd neu glamp. Rhaid fyddai gofalu fod digon o wellt a phridd ar ben y tatw yn y cladd, a châi hwnnw mo'i agor tan ddiwedd mis Mawrth. Ac ar ben y cyfan, gosodid tyweirch o'r mynydd fel to. Adeg gaeaf 1947 fe rewodd y tatw hyd yn oed yn y tŷ, ond pan agorwyd y cladd fis Ebrill roedd y tatw yno'n blasu'n iawn ac wedi cadw'n berffaith.

Byddai'r gwaith gyda'r defaid yn parhau drwy hyn i gyd. Câi defaid eu gwerthu, wrth gwrs, a byddai angen help i'w gyrru. Roedd adeg gwerthu'r defaid yn un pwysig iawn. Roedd Dat yn grefftwr ar yrru defaid, yn enwedig os byddai Tom Jones Nantllwyd a John Maesglas gydag e. Y tro diwethaf iddo fynd â defaid o Ddolgoch, roedd e wedi eu gwerthu i gwmni Lloyd and Evans. Roedd angen i'r defaid fod yn Rhaeadr Gwy ar gyfer y ffair ar ddydd Gwener olaf mis Hydref 1946. Crynhowyd y defaid yn Nolgoch ar y dydd Mawrth a'r dydd Mercher. Roedd hi'n ddifrifol o wlyb, a glaw wedi disgyn drwy'r dydd. Fe ddechreuwyd allan ddydd Iau heibio i Nantstalwyn ac ymlaen am Riwnant dros y mynydd. Roedd ganddyn nhw tua thri chant o ddefaid o'u blaenau, a gweddrod yn eu plith. Doedd dim problem croesi afon Tywi gan fod yno bont, ond erbyn cyrraedd afon Irfon roedd honno wedi gorlifo ymhell dros ei glannau. Beth oedd i'w wneud nawr? Rwy'n credu mai Tom Jones gafodd y syniad – fe yrrwyd y defaid i mewn i'r llif ychydig uwchlaw rhyd yn yr afon ac fe'u golchwyd nhw gyda'r llif a'u taflu allan yn ddiogel yr ochr draw gan lif yr afon.

Gwaith John Maesglas oedd mynd o flaen y defaid i hwyluso'r daith ar ben gwahanol ffyrdd. Roedd gan John got a oedd yn dal glaw, ond erbyn i Dat a Tom gyrraedd Llyn Carw, dyna ble'r oedd John – wedi disgyn o gyfrwy'r gaseg ac yn dal pysgod.

Yn Rhiwnant, ar ôl taith o saith neu wyth milltir, a Dat a Tom wedi dibynnu'n llwyr ar y cŵn, roedd Huwi Roberts Troedrhiw, neu Huwi Pengarreg erbyn hynny, yn cymryd yr awenau ar gyfer gweddill y daith i Raeadr Gwy. Roedd y cŵn yn holl bwysig, ac fe fydden ni'n cadw tua hanner dwsin ohonyn nhw bob amser.

Ni allai unrhyw fugail wneud heb ei gi defaid. Yn ôl Erwyd Howells, yn ei gyfrol *Good Men and True*, Dat oedd un o'r bugeiliaid cyntaf i ddod â chi defaid o frid Border i'r ardal, sef Spot. Fe'i prynodd yn Northumberland, ac mae llun o Dat a Spot yn llyfr Erwyd. Roedd Dat yn dipyn o ddyn yn y byd prynu a gwerthu cŵn, ond fe orffennodd Spot ei ddyddiau yn Nolgoch. Dim ond dau arall wnaeth hynny, sef March, a anwyd ym mis Mawrth, siŵr o fod, ac a fagwyd oddi wrth Spot, a Moss. Roedd Dat yn dipyn o ddyn mewn treialon cŵn defaid hefyd. Os byddai ef a William Phillips yn cystadlu, yna fe wyddai pawb y bydden nhw'n mynd adre â gwobr yr un. Roedd William yn byw ar ochr Llanymddyfri i'r mynydd, ac roedd Nhad ac yntau'n gystadleuwyr peryglus.

Pan oedd Dat yn wael yn yr ysbyty yn dilyn trawiad ar y galon, roedd e'n dal i weiddi 'March! March!' drwy'r amser a'r doctoriaid a'r nyrsys yn methu'n lân â deall y peth. Roedden nhw'n credu ei fod e wedi bod yn y fyddin ac yn cofio am y dyddiau hynny. Ond yno yn yr ysbyty ar yr un pryd age roedd Tom Davies, a gadwai siop yn Nhregaron. Fe ddeallodd hwnnw, ac fe ddywedodd wrth y staff mai gweiddi ar y ci oedd Dat. Hyd yn oed pan oedd e yn yr ysbyty, roedd e'n dal i weithio'r hen gi yn ei feddwl.

Erbyn Calangaeaf fe fyddai'n bryd i ambell was adael ac un arall i gyrraedd. Calangaeaf, wrth gwrs, oedd y cyfnod traddodiadol i'r ffermwyr gyflogi gweision a morynion. Yn yr hen ddyddiau, digwyddai hynny yn y ffeiriau. O Galangaeaf ymlaen doedd dim llawer yn digwydd ar y mynydd tan y Nadolig. Roedd yn rhaid lladd mochyn, wrth gwrs, a'i halltu. Fe fyddai dau fochyn gyda ni – câi un ei ladd fis Tachwedd, sef 'November' a'r llall ddechrau'r flwyddyn, hynny yw, 'January' neu 'February'. Misoedd oedd ag 'r' yn y mis. Am ryw reswm roedd hyn yn bwysig iawn. Os nad oedd 'r' yn y mis, châi'r mochyn mo'i ladd. Wedi eu lladd nhw fe fyddai angen eu halltu, gan adael y ddau ran canol yn yr halen am tua thair wythnos a'r ddwy ham a'r ddwy gamwn am fis. Wedyn câi'r darnau eu hongian o dan y lofft a'u sleiso yn ôl y galw. Byw ar gig moch fydden ni wedyn am sbel ac, wrth gwrs, byddai'r cymdogion yn cael darn o sbarib. Dat fyddai'n lladd, ac ar ôl lladd mochyn yn gynnar yn y flwyddyn dim ond cig mochyn fyddai ar y bwrdd nes deuai'r haf, pan gâi ambell lwdwn ei ladd. Byddai Dat yn mynd allan i ladd moch ar ffermydd eraill hefyd yn ôl y galw.

Weithiau, yn dilyn rhai dyddiau gwlyb, fe fyddai'r gweision yn mynd draw at afon Irfon rhwng dechrau mis Tachwedd a Chalangaeaf i ddal ambell eog ar y slei; fyddai eogiaid ddim yn dod i fyny mor bell yn afon Tywi. Ond cig fyddai'r prif bryd fel arfer.

Fe fyddai'r menywod, wrth gwrs, hefyd yn gwneud eu rhan. Roedd corddi, yn arbennig, yn weithgaredd pwysig iawn. Fe fyddai'r lloi'n cael llaeth sgim, a'r hufen yn cael ei gadw am rhyw wythnos cyn ei gorddi. Fe gâi'r menyn wedyn ei gadw yn y crochan am flwyddyn. Hyd yn oed ymhlith y menywod roedd yna fath ar gyfnewid, gyda'r menywod yn dod ynghyd i helpu'i gilydd ar adegau prysur.

Roedd y gwartheg yn bwysig iawn, ac fe gofiaf pan oeddwn i'n ifanc gymaint â hanner dwsin o wartheg godro yn Nolgoch. Allan ar y mynydd fydden nhw'n pori, felly doedd yna ddim llawer o laeth. Fe ddefnyddid hen fuddai fawr i gorddi, wrth gwrs – math ar gasgen yn cael ei throi a'i throi nes bod yr hufen wedi tewhau'n fenyn.

Fel y deuai pob gwanwyn, châi yr un ddafad ddod i lawr o dan frig y mynydd at y tŷ. Byddai'r cŵn yn eu cwrsio nhw i fyny er mwyn cadw'r borfa erbyn y gaeaf. Felly, dros y brig y byddai'r defaid nes y deuai dyddiad Ffair Rhos, neu Ffair Gŵyl y Grog, ym Mhontrhydfendigaid ar 25 Medi. Ar ôl hynny fe gaen nhw lonydd i ddod i lawr i bori'r llethrau is.

Heddiw, drigain mlynedd wedi eira mawr 1947, hawdd yw gwamalu wrth edrych yn ôl. Hyd yn oed petai'r Comisiwn Coedwigaeth heb lyncu Cwm Tywi, dydw i ddim yn credu y byddai pethe wedi aros yr un fath. Fe fyddai newidiadau mawr wedi digwydd beth bynnag. Pobol o'r tu allan fyddai'n rhedeg y lle – os nad y Comisiwn Coedwigaeth, yna byddai rhywun arall wedi dod. Fe wnaeth swyddogion lleol y Comisiwn, pobl fel John Jones Pantyfedwen, eu gorau – ond yn ofer. Mae gen i ryw deimlad y byddai Cwm Tywi'n wag heddiw, beth bynnag fyddai wedi digwydd.

Fe geisiodd y Llywodraeth esmwytho colledion ffermwyr drwy gyhoeddi Cronfa Drychineb. Y Blaid Lafur, gyda Clement Attlee yn Brif Weinidog, oedd mewn grym ar y pryd. Ond nid arian oedd popeth. Roedd llawer wedi torri'u calonnau a heb fod â'r ysbryd i frwydro ymlaen.

Erbyn heddiw mae'r cyfan wedi newid, a hynny o fewn cyfnod gweddol fyr. Does neb ar ôl yng Nghwm Tywi bellach, dim ond coed. Ac mae'n addas ailadrodd geiriau Ceiriog wrth ddisgrifio Cwm Tywi bellach: 'Ond bugeiliaid newydd sydd ar yr hen fynyddoedd hyn.' Yn anffodus, dim ond coed – ac nid defaid – sy'n cael eu bugeilio yno heddiw.

Gadael y Cwm

Er i mi fyw ym Mhant-y-craf oddi ar 1967, fel Huw Dolgoch y caf fy nghyfarch gan bawb o hyd, a hynny am mai yno y'm ganwyd i ym mis Ebrill 1937, yn fab i John a Margaret (neu Maggie) Jones, ac ym Mhant-y-craf y treuliais i 30 mlynedd cyntaf fy mywyd. Ganwyd Dat yn Nolgoch; roedd Mam yn ferch i fferm Cefngaer, Pontrhydfendigaid, ac yn aelod o deulu Nantstalwyn yng Nghwm Tywi.

Does neb yn gwybod pwy oedd y bobol gyntaf i ymsefydlu yn y cwm, ond ceir tystiolaeth i hen lwyth o Wyddelod fod yn byw yma unwaith, ac i'r Rhufeiniaid adeiladu ffordd dros y mynydd. Ceir tystiolaeth bendant fod gan fynachod Ystrad Fflur 1,327 o ddefaid yn pori'r mynydd yn 1291. Roedd gan y mynachod eu bugeiliaid eu hunain i ofalu am y defaid ac mae'n bur debyg mai nhw oedd y cyntaf i gadw bugeiliaid. Nhw hefyd, siŵr o fod, oedd y rhai cyntaf i osod nodau ar ddefaid.

Mae hen hanes i bobol y mynydd, felly, ac rwy'n falch bod Dolgoch yn rhan annatod o'r hanes hwnnw. Ar un adeg roedd Dolgoch ymhlith ffermydd mwyaf mynydd Tregaron, gydag arwynebedd o dros 2,500 o erwau, ac fe fu ein teulu ni â chysylltiad â'r lle am ganrif. Ddechrau'r ddeunawfed ganrif roedd David Williams yn byw yno, mab i John Williams, Llanddewibrefi. Yn ei gyfrol *Tregaron: Historical and Antiquarian*, mae D. C. Rees yn rhoi llawer o sylw i David Williams, Dolgoch. Roedd ei dad, John – a ddisgrifiwyd fel 'Gent' – yn Uchel Sirydd yn 1725. Bu ei ddau fab hefyd yn Uchel Siryddion: Nathaniel, y Fynachlog Fawr, yn 1776 a William, Pantseiri (neu Bantsiriff), yn 1750/51. Roedd William Williams yn ddyn o allu a dylanwad mawr, a gwnaeth ei ffortiwn o ffermio defaid. Câi ei alw, yn ôl Gwallter Mechain, yn 'Job y Gorllewin'. Roedd yn berchen ar 20,000 o ddefaid, 500 o ebolion mynydd a llawer iawn o wartheg gwyllt.

Dywedir ei fod e'n ddyn penderfynol iawn – yn unben, gyda'i air yn ddeddf – a gwae unrhyw wladwr a groesai gleddyfau ag ef. Broliodd unwaith y gallai fforddio mynd i gyfraith â'i feistr tir am saith mlynedd gyda'r elw a wnâi o'i wlân. Câi ei adnabod gan bawb fel Brenin y Mynydd – ffaith a adroddwyd yn hanes ei angladd yn y *Gentleman's Magazine* yn 1773. Roedd ei esgeiriau'n ymestyn o Bantsiriff i Abergwesyn, ac roedd e'n berchen ar diroedd yn siroedd Brycheiniog a Phenfro.

Mae'n debyg mai teulu Lisburne o'r Trawscoed oedd yn berchen y tir, gyda Dolgoch, Y Gïach, Cwm Du, Hirnant a Nantybont yn cael eu rhentu i Williams ar rent o ddeg gini'r flwyddyn ynghyd â 'heriot', neu ebediw o bum gini. Yn ôl un hanesyn, fe glywodd Williams fod menyw yn yr Alban yn berchen ar 20,000 o ddefaid; cyfrifodd yntau ei holl stoc a chael fod ganddo 19,000. Ei ymateb oedd cyhoeddi y byddai ei stoc ef erbyn y gwanwyn nesaf yn fwy niferus nag un y fenyw o'r Alban gan ddweud: 'Man proposes, God disposes'.

Ceir stori arall amdano'n rhoi her i ryw foneddiges o ogledd Cymru a oedd yn berchen ar lawer o ddefaid y byddai, petai ganddo ef fwy o ddefaid na hi erbyn y cneifio'r flwyddyn wedyn, yn ei phriodi. Ond fe ddaeth gaeaf caled – mor galed fel nad oedd unrhyw bwrpas i'r naill na'r llall hyd yn oed gyfrif eu defaid – ac ni chafwyd priodas. Ond mae'n debyg mai cymysgu dwy stori yw hyn.

Mae'n wir iddo, y gaeaf canlynol, ddioddef colledion enfawr, gyda miloedd o'i ddefaid yn marw o dan luwchfeydd. Bu farw o dorcalon a chladdwyd ef yn Llanddewibrefi ar 31 Ionawr 1773 yn 75 mlwydd oed. Arweiniwyd y gwasanaeth ym Mhantsiriff gan Daniel Rowland, a thynnodd ei destun o'r Salmau 119: 96, 'Yr ydwyf yn gweld diwedd ar bob perffeithrwydd: ond Dy orchymyn Di sydd dra eang'.

Ceir stori ddiddorol arall amdano. Roedd e'n cyflogi bugail a morwyn, a phan ddaeth adre un diwrnod roedd y forwyn mewn panig.

'O, Meistr bach,' medde hi, 'mae lle ofnadwy yma. Rwy wedi colli'r procer.'

'Wel,' meddai'r meistr, 'does dim byd alla i wneud i chi. Alla i ddim cael un arall i chi, a wn i ddim sut gwnewch chi brocio'r tân.'

Fe aeth y forwyn allan i nôl mawn. Pan ddaeth hi'n ôl roedd y procer ar yr aelwyd.

'Wel, wel,' medde hi, 'mae'r procer yn ei ôl. Rwy wedi bod yn chwilio amdano ym mhobman.'

'Mae'n amlwg na wnaethoch chi chwilio amdano yn y lle iawn,' meddai'r meistr.

'Ble oedd e, felly?'

A'r meistr yn ateb, 'Yng ngwely'r bugail. Mae hynny'n profi eich bod chi'n cyd-gysgu.' Gwenodd y meistr gan ychwanegu, 'Does dim ots gen i. Cariwch ymlaen gyda'ch gilydd cyn belled â'ch bod chi'n gwneud eich gwaith.'

Does dim byd yn newid, oes e?

Ar farwolaeth William olynwyd ef gan ei frawd, Nathaniel, o'r

Fynachlog Fawr, ffrind mawr i John Wesley. Priododd hwnnw ag Elizabeth Jones, merch John Jones, Diserth, Sir Faesyfed. Claddwyd Nathaniel yn Ystrad Fflur yn 1793 ac olynwyd ef gan yr hynaf o'i bedwar plentyn, John, a wnaed yn Uchel Sirydd yn 1801. Priododd hwnnw â Mary, merch Bowen Jones, Trewythen, Sir Drefaldwyn. Symudodd y teulu i Castle Hill, Llanilar, a bu farw John yn 1806. Olynwyd ef yn ei dro gan John Nathaniel, a ddaeth yn Uchel Sirydd yn 1815. Priododd hwn â Sarah Elizabeth, merch Joseph Loxdale o Amwythig, a phan fu'r ddau farw fe'u holynwyd gan frawd Elizabeth, James Loxdale. A do, bu yntau'n Uchel Sirydd yn 1876.

Chwaer i William a Nathaniel Williams oedd Gwen, a briododd â Rhys Davies, Pantclwydau, Cwm Tywi. Roedd brawd i Rhys, sef William, yn byw yn Hafdre. Ganed mab, John, i John a Gwen, ac fe newidiodd hwnnw'i gyfenw i Jones. Roedd ei fam yn chwaer i David Williams, Pantsiriff. Etifeddodd John eiddo'i ewythr yn Hafdre, yna symudodd ef a'i deulu i fyw i Nantllwyd, stad a oedd yn cynnwys Hafdre, y Gamallt, Esgairgelli a rhannau o Nantneuadd a Moelprysgau. Magodd John a'i wraig saith o blant, chwe bachgen ac un ferch. Bu farw yn 1824.

Plant y John Jones hwn oedd John o Bencefn, Sunny Hill, a ymfudodd i America; Rhys Jones, Brynglas; Morgan Jones, Dalar Wen, a oedd yn dad i bedwar o feibion: Morgan, William, Thomas a John; David Jones, Brithdir; Thomas Jones, Hafdre, a'r ferch, a briododd ag un o deulu Rowlands, y Garth, Llanddewibrefi, gan ymsefydlu yng Ngelli Llyndu. Mae llinach Jones Nantllwyd, drwy Rhys Jones, mab John a Gwen Jones, yn dal i fyw yno hyd heddiw.

Yn 1880 daeth Hugh Jones i fyw i Ddolgoch; un a faged ym Mhenwern-hir, rhwng Pontrhydfendigaid a Ffair Rhos, oedd Hugh. Ef oedd fy nhad-cu o ochr Dat, a'r cyntaf o'n teulu ni i fyw yn Nolgoch. Mae'n debyg i hwnnw fod yn briod deirgwaith a magodd deulu mawr. Symudodd i Ddolgoch gyda'i drydedd wraig, Mary Jane, nad oedd ond yn ei hugeiniau cynnar. Rwy'n cofio clywed i un o'i blant, Tom, farw yn fabi bach yn ei gôl. Dywed Evan Jones yn ei gyfrol *Cymdogaeth Soar-y-Mynydd* i Hugh Jones gael amser caled. Yn ystod ei ail aeaf, collodd gannoedd o'i ddefaid oherwydd lluwch enbyd. Câi hyn ei ailadrodd yng Nghwm Tywi 66 mlynedd yn ddiweddarach gyda lluwch mawr 1947. Credir mai ddim ond drwy werthu crwyn y defaid mwyaf eu maint y llwyddodd Hugh Jones i dalu hanner ei rent am un flwyddyn cyn llwyddo i ddod yn ôl ar ei draed.

Roedd Hugh Jones yn dad-yng-nghyfraith i D. J. Evans, pregethwr a ymfudodd i America ac awdur y gyfrol *Ar Gyfandir a Chyfanfor*. Yn ôl Evan Jones eto, byddai Hugh Jones yn cerdded i'r capel ym Mhontrhydfendigaid bob dydd Sul, taith o ryw ddeng milltir un ffordd. Mae ei fedd, lle gorwedd hefyd ddwy o'i wragedd, yn Ystrad Fflur. Bu ef ei hun farw yn 1897.

Nid colledion Hugh Jones oedd yr unig anlwc i daro Dolgoch. Yn 1911, llosgwyd y tŷ byw ond achubwyd rhai o'r celfi. Er bod digon o ddŵr yn afon Tywi, sy'n llifo gerllaw, methwyd ag achub y tŷ. Bryd hynny roedd y fferm yn dal yn eiddo i stad y Trawscoed. Ailgodwyd y tŷ, gyda'r defnyddiau angenrheidiol yn cael eu cludo o stesion Strata Florida ger Ystrad Meurig, a rhes o gerti'n cludo llwythi dros y mynydd o Bantyfedwen – taith o dros ddeng milltir un ffordd. Cymdogion fu'n gyfrifol am helpu gyda'r gwaith o ailgodi'r tŷ.

Er mai 1947 oedd y flwyddyn dyngedfennol, roedd pobol y cwm yn gwybod yn burion cyn hynny beth oedd caledi. Erbyn 1930 roedd y sefyllfa'n wael iawn. Doedd fawr ddim creaduriaid yn cael eu gwerthu yn y marchnadoedd, ac roedd cymaint o stoc ar lawr gwlad fel na fedrai pobol y mynydd gael tac i'w merlod. Yn wir, roedd hi mor ddrwg fel i rai orfod sbaddu eu meirch er mwyn cadw'u stoc dan reolaeth. Yna, tua chanol y 1930au, fe aeth Dat a Glyn Hope, Llwynderw, ati i drefnu arwerthaint merlod ar glos y Talbot yn Nhregaron. Roedd hon yn dipyn o fenter. Gwerthwyd merlod Dolgoch a Llwynderw mewn carfannau o ddeg am yn ail. Felly, hyd yn oed cyn eira mawr 1947, roedd pobol y mynydd yn gynefin â bywyd caled.

Erbyn Dydd Calan 1947, er i lawer o ddiboblogi ddigwydd dros y blynyddoedd, trigai saith teulu yng Nghwm Tywi – un o nifer o gymoedd rhwng Tregaron ac Abergwesyn. Cymoedd eraill yn yr ardal yw Camddwr, Doethie a Physgotwr. O fewn ugain mlynedd doedd neb ar ôl yng Nghwm Tywi. O ganlyniad i eira mawr 1947, plygodd y ffermwyr defaid o un i un yn dilyn colledion difrifol ar yr naill law a dyfodiad y Comisiwn Coedwigaeth ar y llaw arall.

Rhwng y saith teulu, trigai 26 o bobl yn y cwm ar ddechrau 1947. Heddiw, dim ond pedwar o'r trigolion hynny sy'n fyw, a'r pedwar wedi gadael am diroedd brasach llawr gwlad. Yn Nhywi Fechan trigai dau, yn Nantstalwyn trigai pump, yn Nolgoch, roedd pedwar, yn Nant-yr-Hwch ceid pump; roedd pump hefyd ym Mronhelem, tri yn Nantneuadd a dau yn y Fanog.

Ifan Davies, Tywi Fechan, ychydig cyn ei farwolaeth yn 1949.

Dai Jones, Glanrafon Ddu, yn paratoi ar gyfer ei ddiwrnod olaf fel postmon Cwm Tywi yng nghwmni'r Postfeistr, Eser Jones. Dai Jones oedd y postmon olaf i fynd ar ei rownd ar gefn ceffyl.

Mam ar ddiwrnod cneifio'n arllwys dŵr i'r badell sinc er mwyn i'r cneifwyr olchi eu dwylo cyn cinio.

Fi wrth fy hoff waith, yn cychwyn gyda'r merlod o fferm Ty'n Ddraenen.

Fi yn faban yng nghôl Mam-gu Bronllan.

Dat a Tomi'r gwas yn dadlwytho gwair.

28

Dat a Tomi Williams, y gwas, ar ben y sied wair gyda Mam a Huw, fy nghefnder, ac un o'r morynion yn 1937.

Dolgoch ar waelod y cwm. Heddiw mae'n llety ar gyfer cerddwyr.

Dolgoch yng Nghwm Tywi, yn swatio tan Graig Nantstalwyn. Mae tir Dolgoch i'r chwith o afon Tywi, sy'n rhedeg ar hyd llawr y dyffryn.

Dat ar ddiwedd y tridegau yn ymarfer Spot, y ci defaid Border cyntaf i ddod i'r ardal.

Mam gydag un o'r morynion yn Nolgoch.

Wncwl Richard a Tad-cu Bronllan yn Aberystwyth ar ddiwrnod priodas Dat a Mam.

O'r pedwar sydd ar ôl o bobl y cwm, fe symudais i i lawr yn nes at Dregaron i Bant-y-craf; yno hefyd mae William Williams, a symudodd i Frynhownant gyda'i rieni; mae Ann Nant-yr-hwch yn byw yn ardal Pumsaint, tra bod Ifan Esgaireithin, a oedd yn was yn Nant-yr-hwch, hefyd yn yr un ardal. A fi yw'r unig gyn-fugail sy'n dal yn fyw o blith y rhai a anwyd yn y cwm.

Ie, Tywi Fechan, Nant y Stalwyn, Dolgoch, Nant-yr-hwch, Fronhelem, Nantneuadd a'r Fanog. Saith ffarm – a saith o deuluoedd yn creu cymuned a oedd yn wasgaredig yn ddaearyddol ond yn glòs iawn o ran perthynas y teuluoedd a'i gilydd.

Y lle cyntaf i fynd yn wag oedd Nantneuadd, a hynny yng ngwanwyn 1947. Gyda'r tŷ a'r tai allan mewn cyflwr gwael – a'r gaeaf hir a chaled wedi ychwanegu at y dadfeilio – fe benderfynodd Tommy Williams, a fu'n was yn Nolgoch, a'i wraig Lottie brynu fferm Brynhownant, yn agosach at lawr gwlad. Roedd William, y mab, wedi bod yn mynychu ysgol a agorwyd yn Soar y Mynydd ar gyfer plant yr ardal. Fe gaeodd Soar fel ysgol, a hwyrach i'r angen am i William gael addysg deilwng fod yn un rheswm dros symud.

Pan ddechreuais i fynychu'r ysgol yn Swyddffynnon, roedd ysgol Soar y Mynydd yn dal ar agor – ond es i ddim yno. Er ei bod hi gymaint yn nes, fe fyddai gofyn i rywun fynd â fi yno bob bore a dod i'm nôl i adre bob prynhawn. Fe fyddai hynny wedi bod yn gryn drafferth, a mwy na thebyg fe fyddwn i wedi gorfod lletya yn Nantllwyd.

Bu ysgol yn Soar ar wahanol gyfnodau. Mae Evan Jones yn enwi sawl un a fu'n athro yno, yn cynnwys y Parch. John Jones, Ysbyty Ystwyth; David Evans, Penuwch, a briododd â merch Thomas Jones, Bronhelem, a'r Parch. William Prydderch. Ym mis Ionawr 1976 fe enillodd Lottie Williams wobr mewn cystadleuaeth a drefnwyd gan adran weithgareddau Llyfrgell Ceredigion am ei hysgrif 'Hanes Ardal Soar y Mynydd yn y cyfnod 1939–1948'. Dywed Lottie Williams mai Jenkin Evans o Dalsarn oedd yr athro pan oedd ei mab, William, yn ddisgybl yno. Cofiai mai dim ond tri oedd yn mynychu'r ysgol ar y diwedd, sef Dafydd a Shanco Nantllwyd a William. Cynhelid yr ysgol mewn stafell uwchben y stablau ac roedd yr athro a'i wraig yn byw yn y Tŷ Capel.

Teulu Nantllwyd fu'n bennaf gyfrifol am i gapel Soar y Mynydd gael ei godi. Cynigiodd John a Marged Jones y tir ar gyfer y capel a'r fynwent bron iawn am ddim, a hynny ar les am 999 o flynyddoedd am hanner coron y flwyddyn. Yn anffodus, bu farw John Jones, y prif arloeswr y tu ôl i'r fenter, cyn gweld ei freuddwyd yn cael ei gwireddu. Fel rhan o'r freuddwyd honno, roedd y gobaith y byddai ef ymhlith y rhai cyntaf i gael eu claddu ym mynwent y capel bach. Ond bu farw cyn i'r gwaith adeiladu ddechrau, ac mae ei fedd ef a bedd ei wraig ym mynwent Tregaron.

Ym mhlwyf Llanddewibrefi ar lan afon Camddwr y codwyd y capel, a hynny rhwng 1821/22, yn ôl Evan Jones. Un o'r rhai mwyaf brwd ei gefnogaeth i godi'r capel oedd y Parch. Ebenezer Richard, gweinidog Capel Bwlchgwynt, Tregaron, a thad Henry Richard, Apostol Heddwch, y mae cerflun ohono ar sgwâr Tregaron. Ffermwyr y cylch fu'n gyfrifol am gludo'r cerrig ar gyfer adeiladu'r capel, gan ddefnyddio cerrig hen dai'r Brithdir a Rhiwhalog a llawer o gerrig hefyd o wely afonydd Camddwr a Thywi. Câi'r gwahanol grefftwyr lety gan ffermwyr y cylch. Cludwyd y defnyddiau o harbwr Aberaeron, gan nad oedd y rheilffordd eto wedi cyrraedd Tregaron.

Ceid pob math ar gyfarfodydd yn Soar y Mynydd, yn cynnwys Ysgol Sul lewyrchus iawn ac Ysgol Gân. Ar gyfer y Gymanfa Bwnc deuai dau frêc o'r Talbot yn Nhregaron, a'r rheiny'n llawn pobl. Cynhelid hefyd gyfarfodydd pregethu blynyddol a chyrddau cystadleuol ac eisteddfodau yno.

Ymhlith llawer o bregethwyr enwog a ddaeth yn eu tro i bregethu i Soar y Mynydd roedd Crwys. James Edwards, Nantstalwyn, a aeth i'w nôl i Abergwesyn ar gefn merlen, gan fynd â merlen arall gydag ef ar gyfer Crwys. Dywedodd Crwys yn ddiweddarach: 'Yn weddaidd iawn, y ferlen wen a ddaeth i'm rhan i, a chanddi enw annwyl a Chymreig, Siani. Gadewais y car bach yn Llannerch-yr-yrfa dros nos Sadwrn, ac ar gefn Siani â mi, dair troedfedd uwchlaw'r byd, am bum milltir tua Nantstalwyn ar lan Tywi mewn perffaith hedd.'

Dywedodd iddo gychwyn allan o Nantstalwyn awr a hanner cyn yr oedfa, eto ar gefn Siani, 'yn un o fintai o farchogion 15 o ferlod yno. Yr oedd golwg grefyddol hyd yn oed ar y ceffylau'. Dywedodd iddo wedyn fynd yn ôl i ginio i Nantstalwyn, lle cynhaliwyd oedfa'r prynhawn gyda'r lle yn llawn o tua deugain o addolwyr. Ar ôl te dychwelodd at ei gar ar ôl marchogaeth cyfanswm o ddeunaw milltir.

Yn ôl Mrs Elizabeth Hughes yn y llyfryn *Tua Soar*, a olygwyd gan W. J. Gruffydd, câi pregethwyr eu cadw yn eu tro yng Nghwm Tywi yn Nantstalwyn, Nant-yr-hwch, Bronhelem a'r Fanog. Cofiai hi, a arferai fyw ym Mrynambor, gyrddau dau-fisol, a'r Gymanfa Bwnc a rihyrsals ar gyfer y Gymanfa Ganu. Mewn cyfarfod ar y Sul cyntaf o Fedi 1939 y clywodd pobol y mynydd fod yr Ail Ryfel Byd wedi torri.

Fe gyfansoddodd Mam gerdd am Soar y Mynydd:

Mae gweld y lle yn orlawn
Yn deffro hen atgofion
Am lawer oedfa gynt a fu
Pan nad oedd yma ond dau neu dri.
Marchogaeth eu ceffylau
A wnâi ein teidiau gynt,
Ond heddiw mewn cerbydau
Daw'r lluoedd ar eu hynt.

Yn fy nghyfnod i, byddwn yn mynd i'r gwasanaeth deg y bore yng nghwmni Mam a'r gwas. Wedyn byddai oedfa yn ystod y prynhawn ar ba aelwyd bynnag y byddai'r gweinidog yn lletya arni. Fe letyodd William Williams, Pantycelyn, droeon ar aelwydydd y cylch, yn cynnwys Dolgoch. Fe fu Howel Harris hefyd yn lletya yn Nolgoch. Mae'n syndod fod y capel bach wedi goroesi, o ystyried fod y tai yn Nhywi Fechan bellach i gyd yn wag. Mae diboblogi'r mynydd a'r gostyngiad yn aelodaeth Soar wedi mynd law yn llaw. Roedd Rees Jones, Bronhelem, yn cofio cant o aelodau yno, ond erbyn 1944 roedd yr aelodaeth wedi disgyn i lai na hanner hynny.

Fe fyddai Soar wedi cau yn ôl ar ddechrau'r 1970au oni bai i'r Parchedigion Tom Roberts, Llanddewibrefi, ac Eben Ebenezer, Llannon, ofyn i D. W. Davies, Werndriw, a John Hughes Williams, Brynambor, fynd ati i roi trefn ar bethau yn 1973. Pan ailagorwyd ef a sicrhau ei ddyfodol, daeth 300 i wrando ar W. J. Gruffydd yn pregethu yno.

Ond stori arall oedd hi cyn belled ag yr oedd ffermydd Cwm Tywi yn y cwestiwn. Er, pan symudodd y teulu Williams allan o Nantneuadd yn 1947, prin y breuddwydiodd neb y byddai'r cwm yn wag ymhen ugain mlynedd. Mewn ysgrif a ysgrifennodd yn 1976, fe ddisgrifiodd Lottie Williams y broses o brynu Nantneuadd yn 1939 oddi wrth ysgutor y cyn-berchennog, Martha Roberts. Er bod eu harian yn brin, llwyddodd y ddau i brynu hefyd y pedair buwch a'r ddau geffyl ynghyd â'r dodrefn oedd yn y tŷ ac ychydig offer fferm. Trefnwyd benthyciad ar gyfer prynu'r lle a'r defaid, i'w dalu'n ôl yn flynyddol ar y dydd cyntaf ar ôl Calangaeaf yn Aberystwyth.

Yn ei hysgrif, dywed Lottie fod nifer o resymau dros adael Nantneuadd. Yn un peth roedd y tŷ yn mynd ar ei waeth. Mae'n rhaid ei fod e'n hen dŷ gan mai hwn, credai Lottie, oedd y tŷ cyntaf yn y fro i'w adeiladu â theils ar y to. Ffactor arall, fel y nodwyd, oedd bod ysgol Soar y Mynydd, yr oedd y mab yn ei mynychu, i gau. Ar ben hynny, daeth cynnig y Comisiwn Coedwigaeth i brynu'r lle. Prynodd y Comisiwn y lle ar yr amod na fyddent yn dechrau plannu coed am saith mlynedd, gan roi cyfle i'r teulu weld gwerth y defaid yn cynyddu.

Rhaid gen i fod effaith eira mawr gaeaf 1947 wedi dylanwadu ar benderfyniad Tommy a Lottie i adael hefyd. Yn ei hysgrif, ceir disgrifiadau byw iawn gan Lottie o'r llanast a achoswyd gan yr eira mawr. Cofiai Lottie'n dda yr arwyddion cyntaf hynny o'r hyn oedd i ddod wrth iddi hi ac eraill droi am adre o gwrdd gweddi yn Soar y Mynydd. Cyn iddynt ffarwelio â'i gilydd ar ben Rhiwfelen roedd hi'n dechrau bwrw eira, a phawb yn ofni y ceid 'clipyn caled' gan fod yn ymwybodol o'r hen ddywediad, 'Eira mân, eira mawr'.

Feddyliodd neb, meddai Lottie, y caent eu cau i mewn am ddeng wythnos. Y noson gyntaf honno cafwyd eira mawr, gydag un lluwch yn dod ar ben y llall, a'r rhew fel petai'n clymu popeth wrth ei gilydd. Disgrifiodd sut yr âi'r gwair yn brinnach a brefiadau trist y defaid i'w clywed ym mhobman. Roedd y defaid yn clemio o flaen ei llygaid, ac yn rhewi ar eu traed.

Ar ôl rhyw dair wythnos dechreuodd y defaid farw, ond roedd y ddaear yn rhy galed i'w claddu. Rhewodd pob nant ac afon, meddai Lottie, a cheisiai'r defaid lechu o dan Bont Nantneuadd. Bu bron iawn i'r tywydd fynd â bywyd Tommy wedi iddo fentro cerdded i Dregaron dros yr eira, a oedd wedi caledu erbyn hynny. Cychwynnodd am adre tua hanner dydd, ac erbyn iddo gyrraedd Cwmberwyn roedd hi'n lluwchio eira unwaith eto. Gadawodd y nwyddau a brynodd yn y Diffwys a mynd yn ei flaen. O'r diwedd, dros wyth awr ar ôl gadael Tregaron, llwyddodd i gyrraedd adref.

Y lle nesaf i fynd yn wag ar ôl 1947 oedd y Fanog, lle trigai William a Lottie Hughes. Bugeila oedden nhw i Glyn Hope, Llwyn-derw. Fe ddaeth lle yn rhydd gan Gorfforaeth Birmingham yn Rhaeadr Gwy, sef Cilowent, a'r cytundeb oedd iddynt dalu rhent am y ddaear. Y trefniant oedd, os oedd mwy o ddefaid gan y perchennog oedd yn ymadael, yna roedd cyfle gan y tenant newydd i'w prynu. Ond mae'n annhebygol, o gofio colledion 1947, fod hynny'n berthnasol yn yr achos hwn.

Roedd y Fanog yn un o'r llefydd pwysicaf yn y cwm. Credai Evan Jones fod hanes y lle yn dyddio'n ôl i ddyddiau'r Rhufeiniaid, gydag un o'u ffyrdd yn mynd heibio'r fangre. Ar hyd hon, medd haneswyr, y câi aur Rhufeinig ei gludo o Gaerfyrddin i Gastell Collen yn Sir Faesyfed. Hon, ar un adeg hefyd, oedd y fferm fwyaf o ran tir yn y cylch ac arferai rhan o'r tir berthyn i Abaty Ystrad Fflur. Roedd y tŷ diwethaf ar y safle'n dyddio'n ôl i 1778; fe'i codwyd gan David Jones, ffermwr defaid cyfoethog.

Cofiai Lottie Williams fynd i angladd plentyn bach William a Lottie Hughes, yr unig angladd iddi hi erioed fod ynddo ym mynwent Soar y Mynydd. Tri mis oed oedd y plentyn, a chofiai Lottie am Tommy yn mynd i nôl yr arch gyda thrap a phoni a phawb yn mynd i'r angladd ar gefn ceffylau. Cymerwyd at y gwasanaeth gan y Parch. Walter Morgan, Tregaron. Yn ôl John Jones, Nantllwyd, yn y llyfryn *Tua Soar*, mae 13 o feddau yn y fynwent.

Cofiai Lottie hefyd am Evan Davies a'i nith, Neli Davies, yn byw yn y Fanog gyda dau was, Dafydd a Ieuan, a morwyn, Katie. Disgrifiai'r Fanog fel lle a oedd yn debycach i fferm llawr gwlad na fferm fynydd – y perthi wedi eu plygu'n ddestlus ac yn gywrain.

Ond gyda William a Lottie Hughes yn gadael, aeth y Fanog yn wag; erbyn heddiw does dim hyd yn oed olion o'r tŷ i'w gweld, ac mae'r tir dan goed. Dyna'r unig anneddle a gafodd ei foddi yng Nghwm Doethie gan ddŵr argae Brianne, a godwyd yn chwe degau'r ganrif ddiwethaf.

Tro Tywi Fechan ym mhen ucha'r cwm oedd hi nesaf. Yn 1949 bu farw Ifan Davies, neu Ifan Tywi, yn dilyn damwain wrth gneifio. Gwanwyd ef gan gorn hwrdd a gwenwynwyd ei waed; roedd e eisoes yn dioddef o glefyd y siwgwr. Fe safodd Mrs Davies ymlaen am un gaeaf ar ei phen ei hun – cryn fenter i wraig mewn man mor anghysbell. Cafodd gymorth yn ystod yr haf gan fachgen ifanc o Bontrhydfendigaid, John Davies, a ddaeth i gael ei adnabod fel John Tywi. Byddai cymdogion yn galw hefyd i sicrhau fod popeth yn iawn arni. Yna, erbyn hydref 1950, roedd Mrs Davies wedi penderfynu nad oedd hi'n awyddus i dreulio gaeaf arall yno.

Dat oedd yn berchen Tywi, ac fe brynodd y defaid oddi ar Mrs Davies. Yna daeth Huwi Owen, Ty'n Ddraenen, at Nhad a gofyn am gael cymryd y defaid drosodd. Gwerthwyd eiddo Tywi; ychydig iawn o beiriannau ac eiddo oedd gan bobl y mynydd, ond cynhaliwyd arwerthiant eiddo Tywi ar y cae o flaen Siop Blaenddôl ym Mhontrhydfendigaid – merlod a thair neu bedair o wartheg a mân beiriannau. Ac yno y chwalwyd eiddo Tywi.

Rwy'n cofio gweld y gwas, John Davies, yng nghneifio Nant-yr-hwch, lle gofynnodd fy nhad iddo ddod ato i Ddolgoch dros haf 1953. Welais i mo John wedyn am flynyddoedd maith, a'i weld ar y teledu wnes i bryd hynny. Roedd wedi dod draw i rasys Tregaron, a phan ofynnodd Dai Jones iddo o ble oedd e'n dod, ei ateb oedd 'Canada'.

Fe achosodd John lawer o chwilfrydedd ganol y pum degau pan ddiflannodd yn llwyr ar noson Ffair Aberystwyth. Ni chlywodd neb oddi wrtho am dros ugain mlynedd. Yn wir, credai llawer ei fod wedi marw – ond roedd John wedi gweithio'i ffordd ar long i Ganada lle bu'n byw fel hobo, yn teithio o ransh i ransh. Roedd e'n ddyn ceffylau medrus iawn, a'r canlyniad fu iddo briodi merch i berchennog ceffylau trotian a dod yn un o arbenigwyr trotian mwyaf Canada a Gogledd y Taleithiau Unedig.

Y lle nesaf i fynd yn wag oedd Nántstalwyn, lle trigai James Edwards a'i deulu. Roedd teulu mawr o naw o blant yn Nantstalwyn, yn cynnwys pedair merch, ond bu farw un o'r merched yn ifanc. Roedd yno bump o fechgyn, a bu farw un o'r rheiny hefyd yn ifanc a'i gladdu yn Soar y Mynydd. Roedd Nantstalwyn yn fferm sylweddol iawn o ran maint gan iddi hefyd lyncu Foelprysgau ac Esgairgarthen.

Talu rhent oedd James Edwards i stad Mansel, Maesycrugiau. Pan ddaeth sôn fod Nantstalwyn yn dod yn rhydd fe ddangosodd un o'r hen fugeiliaid, Jim Lewis, Troedrhiw, ddiddordeb yn y lle. Ond roedd eraill â diddordeb hefyd, yn cynnwys Defi Edwards, Nant-yr-hwch, brawd James Edwards, a chyfaill iddo, William Morgan.

Rwy'n cofio Edwards Nant-yr-hwch yn dod draw i Ddolgoch un diwrnod, ac yn dweud wrth Mam, 'Allwch chi roi gair bach mewn droston ni? Os na all William a finne gael rhan o ddefaid Nantstalwyn, mae'r Frongoch, Pontrhydfendigaid yn dod yn rhydd ar yr un adeg. Mae William wedi bod yn was yn y Frongoch – os nad yw e'n debyg o gael Nantstalwyn, mae e'n debyg o fynd am y Frongoch, ac yn o debyg o'i gael e.'

Fe addawodd Mam wneud ei gorau, ac rwy'n teimlo o hyd na fydden nhw wedi cael Nantstalwyn oni bai am Mam. Hi wnaeth ddylanwadu ar James Edwards a'i wraig i roi'r lle i'w frawd a William Morgan. Roedd William wedi dod yn was i Nant-yr-hwch, a Dilys fel howscipar, ac fe briododd y ddau. Bu William a'i wraig, Dilys, yn rhedeg Nantstalwyn wedyn o Nant-yr-hwch. Dyna Nantstalwyn wedyn yn wag, ond fe symudodd William a Dilys i Nantstalwyn tra oedd Nant-yr-hwch yn cael ei ailadeiladu yn 1955. Pan ddaeth hi'n amser cneifio, fe gneifiwyd defaid y ddau le ar yr un diwrnod – a dyna'r cneifio mwyaf welais i erioed.

Dywed Evan Jones yn ei gyfrol fod yna un arbenigrwydd mawr yn perthyn i Nantstalwyn. Credai fod pum cenhedlaeth o'r un teulu wedi byw yno'n ddi-dor, yr unig fferm fynydd lle digwyddodd hynny. Dywed mai'r olaf o'r teulu hwnnw oedd Elisabeth Jones, Y Dinas, Llanwrtyd. Ceir syniad o faint arwynebedd tir Nantstalwyn drwy sylw a wnaed gan y Parch. David Lloyd Jones, Llandinam, wedi iddo fod yn pregethu yn Soar y Mynydd. Hebryngwyd ef yn ôl i Raeadr Gwy gan was Nantstalwyn, y ddau ar ferlod, a honnai iddo farchogaeth i'r un cyfeiriad am chwe milltir heb adael tir y fferm.

Diddorol yw nodi fod Lottie Williams yn cofio Aneirin Talfan Davies, Nan Davies a Meg Watkins yn recordio rhaglen radio i'r BBC yng nghneifio Nantstalwyn yn 1945. Yn wir, roedd Lottie'n siarad ar y rhaglen honno, yn ogystal â James Edwards a'i ferch Elizabeth, Rhys Jones Fronhelem, Tom Jones Nantllwyd a Sam Davies Brynglas.

Fronhelem oedd y nesaf i fynd yn wag, a hynny yn 1956. Roedd yno bedwar o deulu – Rhys Jones a'i wraig a dwy ferch – ac un gwas. Collodd Rhys Jones ei wraig ac un ferch, a phenderfynwyd gadael. Fe werthwyd y lle i'r Comisiwn Coedwigaeth ac fe gymerodd Tommy Williams, Brynhownant, ofal am y defaid nes byddai'r Comisiwn yn barod i brynu. Dim ond y llynedd, 2006, y bu farw merch olaf Fronhelem, Gwladys Jones, a hithau'n gant oed.

Pan fu farw Defi Edwards, Nant-yr-hwch, yn 1959, dyna i mi oedd diwedd Cwm Tywi. Pan fu ef farw, fe gymerodd William ucheldir Nantstalwyn i gyd. Yn 1960, ar ôl i rywbeth fynd o'i le, derbyniodd rybudd gan dwrne o Lambed i adael Nant-yr-hwch ac fe symudon nhw i Gefnmeurig, ger Pontrhydfendigaid.

Erbyn hyn roedd hi wedi mynd yn ddifrifol o unig yn Nolgoch, a ni oedd yr unig rai oedd ar ôl o'r saith fferm. Effaith eira mawr 1947 oedd y rheswm dros i Nhad werthu Dolgoch a Thywi i'r Comisiwn Coedwigaeth. Cafwyd gaeaf caled arall yn 1962/63, heb fod yn agos mor galed â 1947 efallai, ond serch hynny fe adawodd ei ôl. Yna, flwyddyn neu ddwy'n ddiweddarach, fe alwodd un o swyddogion y Comisiwn i'n hatgoffa mai nhw oedd piau Dolgoch a'i bod hi'n bryd dechrau plannu. Fe fydden nhw'n barod i ddechrau ar y gwaith yn 1966. Pan ddeallodd Nhad y byddai'r plannu'n digwydd yn fuan, ni welai lawer o ddiben mewn oedi yno'n hir wedyn. Rhaid oedd dod o hyd i le arall. Ar yr union adeg honno roedd Maesbanadlog, Ystrad Meurig, ar werth – ond torri roedd fy ngolygon i ar Bant-y-craf.

Yr Uwchgapten Rhidian Llewellyn a'i wraig, Ledi Honor – merch i deulu Iarll Lisburne – oedd yn berchen ar Bant-y-craf; fe ddywedodd e wrth Nhad fod ganddo ddiddordeb ym Maesbanadlog, a hynny'n bennaf oherwydd yr hawliau pysgota oedd ynghlwm â'r lle. Ond doedd e ddim am wneud cynnig yn agored amdano. Ei awgrym oedd, petai Nhad yn llwyddo i brynu Maesbanadlog, y byddai wedyn yn barod i gyfnewid y fferm honno am Bant-y-craf – ac felly y bu. Ni chafwyd dim ar bapur. Y diwrnod y prynodd Nhad Faesbanadlog yn 1966 oedd diwrnod trychineb fawr Aberfan, a dim ond wedi i ni fynd lawr i Dregaron i ymwneud â'r gwerthiant y clywson ni amdani. Fe ddaeth y cytundeb am Faesbanadlog drwyddo, ac fe gyfnewidiwyd y gweithrediadau. Fe allai'r Uwchgapten Llewellyn yn hawdd fod wedi tynnu'n ôl, gan adael Maesbanadlog ar ddwylo Nhad. Ond na, fe gadwodd at ei air.

Yn 1967 fe symudon ni i lawr i Bant-y-craf ym mlaen Cwm Blaencaron, tua thair milltir o Dregaron. Fe gymerodd hi ugain mlynedd i Gwm Tywi wacáu. Yn 1947 yr aeth Tommy Williams a'i deulu o Nantneuadd, a gadawodd Nhad a ninnau yn 1967. Erbyn heddiw mae'r cwm yn wag.

Bellach, diffeithwch gwyrdd yw Cwm Tywi wrth i lawer o'r coed a blannwyd yn y chwe degau gael eu cwympo a'u cludo oddi ar y mynydd ar lorïau anferth. Yr unig rai a welir yn y fro y dyddiau hyn yw ffyddloniaid Soar y Mynydd ar y Sul ac ymwelwyr sy'n dod o bell ac agos.

Er i mi adael y lle ers ugain mlynedd bellach, mae Cwm Tywi yn dal ar fy meddwl. Gyda'r nos fe fydda i'n myfyrio, a daw llinellau hiraethus i'r meddwl:

Ffarwél, ffarwél i Gwm Tywi,
Doedd unman yn debyg i Gwm Tywi,
Cwm tecaf y cymoedd oedd Cwm Tywi,
Ffarwél, ffarwél i Gwm Tywi . . .

O Ddydd i Ddydd

Mae sôn o hyd am nifer o aeafau trwm a gafwyd ar y mynydd. Mor bell yn ôl â 1772/73, dywedir i William Williams, a oedd yn berchen ar Ddolgoch bryn hynny, golli llawer iawn o'i stoc, ac mai hyn oedd achos ei farwolaeth yn fuan iawn wedyn. Bu'r golled gymaint fel iddo farw o dorcalon, yn ôl rhai. Byddai rhai'n cyfeirio'n ôl at aeafau gwael iawn yn 1916 a 1929, a chofiaf yn dda aeaf caled 1963. Ond mae pawb yn gytûn mai gaeaf 1947 oedd y gwaethaf mewn hanes.

Roedd yn arferiad gan Mam i gadw dyddiadur. Yn wir, cadwodd ddyddiaduron gydol ei hoes, bron iawn, a'r rheiny yn Saesneg, yn ôl yr arferiad bryd hynny ymhlith llawer iawn o Gymry Cymraeg. Dechreuodd gadw dyddiadur yn 1937, a pharhaodd i wneud hynny hyd at y noson cyn iddi farw ym mis Hydref 1995. Mae'r dyddiaduron hynny yn fy meddiant o hyd, er bod yr inc yn pylu erbyn hyn.

Mae'r dyddiadur am dri mis cyntaf 1947 yn arbennig o ddiddorol gan ei fod e'n adrodd hanes yr eira mawr o safbwynt un a gaewyd i mewn am fisoedd. Prif thema'r dyddiadur am y cyfnod hwn yw unigrwydd. Roeddwn i yn Ystrad Meurig heb obaith dod adre, a Dat a Dick y gwas allan bob dydd ar y mynydd yn tendio'r defaid. Ond fel y dengys y dyddiadur, er ei bod hi'n gaeth i'r tŷ, brwydrodd Mam i gynnal yr aelwyd yn wyneb pob anhawster. Wrth edrych yn ôl, mae gen i deimlad bod yr unigrwydd bron iawn wedi ei llethu hi'n llwyr, ond gwrthododd Mam ag ildio.

Y dyddiad arwyddocaol cyntaf yn y dyddiadur am 1947 yw dydd Iau, 23 Ionawr. Dywed Mam fod Dick y gwas wedi mynd i Dregaron ac yna i Esgairmaen ar fater yn ymwneud â chi defaid. Roedd Dat i fyny ar y mynydd yn cyfarfod â chŵn hela Nantymaen, a heb ddod adre tan 3.30. Yn ôl Mam, roedd hi'n ddiwrnod tawel, a hithau ar ei phen ei hun yn glanhau'r llofftydd a'r grisiau. Ac yna cawn y cyfeiriad cyntaf at yr hyn oedd i ddod: 'Dychwelodd Dick ar ôl saith. Ambell i bluen eira'n disgyn yn awr ac yn y man.'

Trannoeth mae hi'n nodi ei bod hi'n ddiwrnod o rew caled gydag eira'n disgyn yn y bore a'r hwyr. Roedd Dat a Dick i fyny ar y mynydd a Mam wedi bod wrthi'n glanhau'r parlwr a llestri'r dreser, ac yna wedi mynd ati i baratoi caws lemwn.

Erbyn dydd Sadwrn cawn fod yr eira'n dal i ddisgyn yn ysbeidiol a'r gwynt yn codi. Parhaodd felly drwy gydol dydd Sul. Ar gyfer y dydd Llun mae'r dyddiadur yn cynnwys nodyn anarferol – roedd Mam wedi methu gwneud y golch oherwydd yr eira.

Cawn fod y tywydd yn gwaethygu erbyn y dydd Mercher, 29 Ionawr, gyda Mam yn dweud ei bod hi hyd yn oed yn rhewi yn y tŷ. Serch hynny, aeth ati i grasu bara a chacen a byns. Trannoeth roedd y tap yn y cefn wedi sychu a bu'n rhaid storio dŵr mewn padelli.

Gwawriodd mis Chwefror gyda gwyntoedd cryfion; erbyn y dydd Llun dechreuodd luwchio'n galed, ond gyda'r nos galwodd Evan Nant-yr-hwch i chwarae cardiau. Cododd y gwynt yn ystod y nos. Ar y dydd Iau, 6 Chwefror, dywed Mam ei bod hi wedi cael llond bol ar y tywydd ac yn teimlo'n unig iawn. Trannoeth methodd y postmon â galw; roedd y tap yn dal yn sych a dim ond ychydig o ddŵr oedd ar gael y tu allan.

Ddydd Sadwrn, 8 Chwefror, cawn yr awgrym cyntaf fod y sefyllfa'n mynd yn ddifrifol. Roedd Dat a Dick yn tendio'r defaid, a'r defaid hynny'n gwanhau. Ddydd Llun, 10 Chwefror, methodd y postmon â galw eto ond roedd y tywydd wedi gwella ychydig a dŵr yn y tap unwaith eto. Ond llwynog oedd tywydd gwell. Erbyn dydd Mawrth cawn fod y tap yn sych unwaith eto, ond er hynny llwyddodd Mam i wneud y golch am y tro cyntaf ers pythefnos.

Ddydd Mercher, 12 Chwefror, cawn fod y postmon heb alw eto, ac yn wir heb alw ers wythnos. Ond llwyddodd i alw trannoeth ar ôl iddo dreulio'r nos ym Mronhelem. Roedd dau o'r llythyron i Mam oddi wrth ei rhieni; derbyniodd hefyd bapurau newydd. Ni alwodd y postmon ddydd Gwener, ond diolch i'r ffaith fod Richard ei brawd, Dick y gwas ac Evan Nant-yr-hwch wedi bod yn Nhregaron, derbyniodd lythyron yn ogystal â'r *Welsh Gazette* a phapurau eraill.

Dydd Llun, 17 Chwefror, methodd â golchi dillad oherwydd prinder dŵr, ond llwyddodd y postmon i alw a chafodd afael ar hanner galwyn o baraffîn. Ar Ddydd Mercher y Lludw roedd Mam yn gofidio am ei gŵr a Dick allan ar y mynydd; gofidiai am Dick yn arbennig gan iddo anafu ei goes yn gynharach. Ar y dydd Gwener canlynol cawn ei bod hi bellach yn lluwchio eira'n ddrwg iawn.

Dros y penwythnos esmwythwyd ar ei hunigrwydd wrth i Dilys ac Anne Nant-yr-hwch alw brynhawn dydd Gwener, ond wrth weld Anne fe gododd hiraeth arni am fy mod i'n dal oddi cartref. Ar y Sul galwodd Tom Jones, Nantllwyd, ac o gael ymwelwyr cawn fod Mam wedi codi'i chalon.

Ond trannoeth mae'n rhaid bod ei chalon hi wedi disgyn eto. Gyda Dat a Dick draw yn Nantybont yn gofalu am ddefaid Moelprysgau, bu'n rhaid iddi gario dŵr o'r afon ar gyfer y golchi. Galwodd Defi Nantymaen heibio, a cherddodd Dat yn ôl gydag ef am ran o'r ffordd – ond collodd ei ffordd am ychydig yn yr eira ar ei ffordd yn ôl. Roedd hi'n lluwchio eira, a'r gwynt yn dod o gyfeiriad y de.

Dydd Mercher, 26 Chwefror, ac yn ôl dyddiadur Mam dyma'r diwrnod gwaethaf eto. Roedd hi'n bwrw eira ac eirlaw, a'r cyfan yn cael ei chwythu gan wynt cryf. Bu'n rhaid iddi glirio eira o'r cwrt y tu allan rhag i'r eira, wrth doddi, gael ei olchi i mewn drwy'r cefn. Cyrhaeddodd Dat ychydig ar ôl chwech o'r gloch, gyda nifer o ddefaid i'w cau i mewn yn y Beudy Bach, a dywed Mam fod Dat yn isel iawn ei ysbryd ynglŷn â chyflwr y defaid.

Trannoeth cawn wybod fod llawer o'r defaid mewn cyflwr gwael, llawer ohonynt yn marw ac eraill o dan y lluwchfeydd. Cawn nodyn ganddi ar y dydd Gwener yn dweud na welodd erioed o'r blaen y fath eira. Ddydd Sadwrn galwodd ei hewythr Dai yn gofyn am siwgwr, a rhoddodd bedwar pwys iddo. Galwodd William Nant-yr-hwch gyda'r hwyr i dorri gwallt Dat, ac roedd hithau'n falch o gael cwmni.

Ddydd Sul cafodd gwmni arall pan alwodd ei brawd, Richard, fy ewythr, a gwnaeth grempog iddo i de. Ddydd Llun, 3 Mawrth, aeth Dat a Dick y gwas i fyny i Nantybont gan groesi dros luwchfeydd anferth. Llwyddodd y postmon i alw. Trannoeth cafwyd storm arall o wynt ac eira, gyda Dat a Dick wedi mynd fyny i Gefn Isa. Bu honno'n noson ofnadwy a chafwyd storm waetha'r gaeaf. Roedd yr eira hyd yn oed yn lluwchio i mewn i'r gegin, a bu'n rhaid clirio eira o ddrws y tŷ i alluogi Dat a Dick i fynd i achub defaid yn Nant Gerwin a Chwm Du. Tra oedd y storm yn rhuo, aeth Mam ati i wneud cacennau.

Parhaodd y storm tan 2.30 brynhawn dydd Iau ac roedd cyflwr y defaid erbyn hyn, yn ôl Mam, yn ddifrifol iawn. Roedd ugeiniau ohonynt bob dydd yn cael eu canfod yn farw neu yn y broses o farw. Yna cafwyd y lluwchfeydd mwyaf a welwyd ers cyn cof, a threuliodd Dat a Dick y prynhawn yn cloddio defaid allan o dan yr eira.

Ddydd Sadwrn, 8 Mawrth, cawn gan Mam yr arwydd cyntaf fod pethe'n dechrau gwella. Roedd y tywydd yn dynerach a'r eira'n toddi; roedd Dat wedi mynd i Hirnant a Nantybont, a Dick i wedi mynd fyny i Gwm Isa. Ganol dydd galwodd John a Glyn Nantllwyd i ofyn am fenthyg fflŵr gan nad oedd bara ar ôl ganddynt.

Twyll fu'r gwelliant yn y tywydd. Ddydd Sul, 9 Mawrth, aeth Dat a Dick i Nantybont a galwodd Richard, brawd Mam, heibio. Erbyn i Dat a Dick y gwas gyrraedd adre tua chwech o'r gloch, roedd hi'n bwrw eira a'r gwynt wedi codi unwaith eto. Daeth gobaith eto gyda Mam yn nodi na chafwyd rhew yn ystod y nos am y tro cyntaf ers 19 Ionawr, ond fore dydd Llun methodd â chyrraedd y tŷ golchi oherwydd y lluwchfeydd. Dal i drengi o newyn fesul ugeiniau oedd y defaid.

Ond roedd y tywydd yn araf wella. Er i rew ddychwelyd, nid oedd mor galed â chynt a threuliodd Mam ychydig o amser yn crasu bara. Ddydd Mercher, 12 Mawrth, llwyddodd i olchi ychydig o dywelion, ond ni fedrai olchi'r dillad gwlân o hyd am fod lluwchfeydd o eira yn ei hatal rhag mynd i'r tŷ golchi. Roedd Dat a Dick wedi bod yng Nghwm Du gan ddod adre tuag wyth o'r gloch y nos. Galwodd William Nant-yr-hwch heibio i ofyn am siwgr, a gadawodd gyda phedwar pwys.

Ddydd Iau cawn fod y dadmer mawr wedi cychwyn gyda dŵr yn llifo i bobman a'r tap y tu allan, o'r diwedd, yn rhedeg unwaith eto. Roedd y dŵr yn llifo i mewn i'r tŷ, ond teimlai Mam yn hynod falch wrth weld yr eira'n dechrau diflannu. Roedd blociau mawr o eira wedi rhewi i'w gweld ar hyd glannau'r afon.

Gwawriodd bore dydd Gwener yn fwyn, ond roedd Mam wedi gorfod codi fwy nag unwaith yn ystod y nos oherwydd bod dŵr yn llifo i mewn drwy'r cefn. Agorwyd y cladd tatw a llwyddwyd i gael cyflenwad allan ohono, ond methodd y postmon â galw.

Rhaid bod pawb wedi ofni'r gwaethaf ddydd Sadwrn pan ddychwelodd y rhew, yr eira a'r gwynt. Yn ôl dyddiadur Mam, galwodd William Nant-yr-hwch â darn o sbarib, gan ei daflu i Nhad ar draws yr afon. Fe wnaeth Mam bice ar y maen ar ôl te. Bu'n noson arw, ond gwawriodd diwrnod Ffair Garon ddydd Sul 16 Mawrth. Hwn, nododd Mam, oedd diwrnod cyntaf oriau haf ond nid aeth ati i droi'r clociau ymlaen. Cafwyd y sbarib i ginio. Y noson honno bu'r tywydd yn arw iawn eto a dŵr yn llifo i mewn drwy'r cefn.

Dydd Padrig Sant, dydd Llun 17 Mawrth, ac er na wyddai neb hynny ar y pryd, roedd y gwaethaf drosodd. Er ei bod hi'n anodd cyrraedd y lein ddillad, nododd Mam fod y dillad yn sychu'n dda. Roedd y gaeaf gwaethaf a welsai pobol y mynydd erioed ar ben. Caiff ei gofio am byth fel yr aflwydd a fu'n gyfrifol am yrru trigolion y cwm oddi yno o deulu i deulu hyd nes, yn y diwedd, nid oedd neb ar ôl.

Atodiad 1

Adeg yr Ail Ryfel Byd, bu aelod o Fyddin y Tir yn gweithio yn Nolgoch. Bu Pat Walters yn gweithio yno yn 1943 ac fe'i gwahoddwyd hi, ymhlith eraill, i gyfrannu ei hatgofion ar gyfer y gyfrol *The Women's Land Army* gan Vita Sackville-West; cyhoeddwyd y llyfr yn 1944 gan Michael Joseph o dan nawdd y Weinyddiaeth Amaeth a Physgodfeydd.

Chwaraeodd Byddin y Tir ran allweddol yn ystod yr Ail Ryfel Byd. Roedd prinder bwyd ym Mhrydain wrth i lawer o longau a oedd yn cludo bwyd a nwyddau eraill o America i Brydain gael eu suddo gan longau tanfor yr Almaen. Rheswm arall dros sefydlu Byddin y Tir oedd bod cynifer o fechgyn ifanc wedi ymuno â'r lluoedd arfog gan adael bwlch mawr i'w lenwi. Roedd angen tyfu cnydau hefyd, ac roedd yna brinder dynion ifanc i'w cynaeafu.

Byddai'r merched yn gwneud gwaith arferol y dynion – dyrnu, aredig, gyrru tractorau, adfer tir gwlyb ac yn y blaen – a dysgwyd llawer ohonynt i odro. Roedd cyflog wythnosol merch dros ddeunaw oed yn cyfateb i £1.12c o arian heddiw, ar ôl didynnu costau byw. Byddai'r wythnos waith yn 50 awr, a dwy awr yn llai yn y gaeaf. Gweithient bum niwrnod a hanner bob wythnos, gan gael prynhawn Sadwrn a dydd Sul yn rhydd.

Ar y dechrau roedd ffermwyr yn amharod i gyflogi merched dieithr a dibrofiad, ac yn aml câi'r merched a gyflogid eu cyfyngu i waith tŷ, sef gwaith traddodiadol merched.

Hyd yn oed ar ôl y rhyfel fe barhaodd Byddin y Tir mewn bodolaeth, a hynny tan 1950. Cyflogwyd cyfanswm o 90,000 o ferched i gyd, a'r farn gyffredinol yw bod Byddin y Tir wedi chwarae rhan bwysig iawn yn yr ymdrech i drechu Hitler.

Thema'r cais a dderbyniodd Pat Walters ar gyfer ei chyfraniad i gyfrol Vita Sackville-West oedd am iddi ehangu ar ei hanes yn gweithio yn yr hyn a ddisgrifiwyd fel 'Y Diffeithwch', sef mynydd-dir Tregaron. Dyma gyfieithiad o'i chyfraniad ar ffurf llythyr.

Dolgoch
Soar y Mynydd
Tregaron
Sir Aberteifi

10fed Tachwedd, 1943.

Yn sicr, gallaf ehangu ar y Diffeithwch hwn – dyma, fel y mae'n digwydd, yw fy hoff bwnc. Yr anhawster yw, ble i gychwyn? Ar hyn o bryd mae'r gegin yn llawn o leisiau huawdl dynion sy'n siarad Cymraeg – y tri ffermwr defaid a ddaeth draw'r prynhawn yma i helpu ac sydd heb farchogaeth oddi yma eto. Mae'r gegin yn un anferth, gyda llawr cerrig, ac mae'r dynion i gyd yn eu tostio'u hunain o gwmpas y tân mawn; mae bysedd eu traed bron iawn yn cyffwrdd â'r marwor, gan fod gennym dân anferth ar lawr yr aelwyd heb unrhyw fath o ffender, neu ddwli gwaraidd fel matiau llawr. Mae ystlys anferth o facwn, un o nifer, yn hongian o'r to gan daflu ei gysgod grotésg dros y dudalen hon, ac rwy'n dymuno o waelod calon y gellid gwneud i baraffîn losgi ychydig yn fwy disglair.

Rydym yn rhy uchel i fyny i ddod o dan y gorchymyn aredig, ond y mae swm bychan o ŷd wedi ei hau ar ddarn o lechwedd sydd wedi'i aredig ar gyfer y ddau geffyl gwedd ac un coben ar gyfer marchogaeth, a byddwn yn eu cynnal yma drwy'r gaeaf. Mae'r ŷd yn stwff gwael iawn – caiff ei bladuro i gyd a'i glymu â llaw, ac mae'n meddu ar lawer mwy o goes nag o ben, ond bydd y creaduriaid yn ddiolchgar iawn amdano yn nes ymlaen.

Dim ond y defaid eu hunain fedr bigo cyflenwad prin o fwyd o'r gwair mynyddig drwy'r gaeaf – mae hwnnw eisoes yn llwm a brown. Ddydd Llun diwethaf crynhowyd yr holl ferlod a'u hebolion sugno a'u hel i'r tac dros fisoedd y gaeaf i lawr ar y tiroedd isel: llawer ohonynt yn wyllt gyda'u swclod sydd, fel yr ŵyn, yn cael eu geni allan ar y bryniau heb unrhyw gymorth llaw ddynol ar eu cyfer – a'r cyfan gyda mwng gogoneddus a chynffonnau sy'n llifo'n wyllt. Trist fu eu gweld yn mynd – bob tro y dringem fyny i'r corsydd mawn i gyrchu brwyn neu lwythi o fawn byddem yn tremio arnynt yn hedfan i ffwrdd yn y pellter maith dros y copaon llwyfandirol.

Ymestynna'r bryniau gwyllt hyn am filltiroedd, ac maent yn dra anghyfannedd. Ceir corsydd enfawr ymhobman, ynghyd â hafnau creigiog gyda nentydd rhaedraidd a phyllau dyfnion. Dair milltir i ffwrdd gorwedd llyn enfawr, a gyflenwyd unwaith â brithyll gan fynachod o

Abaty hanesyddol Ystrad Fflur. Dim ond bugail achlysurol a defaid a aiff yn agos ato bellach. Ystyrir ffermydd sydd bedair milltir a mwy i ffwrdd fel 'cymdogion', a bydd y ffermwyr hynny'n marchogaeth draw i helpu ei gilydd ar gyfer y crynhoi mawr ac ar ddyddiau cneifio. Maent oll yn meddu ar yr un cyfenw, 'Jones', ac mae'r rhan fwyaf o'u henwau bedydd hefyd yn cyd-fynd â'i gilydd, felly bydd holl ddeiliaid fferm yn mabwysiadu eu cyfeiriadau ar gyfer eu cyfenwau. Felly, i bawb, 'Pat Dolgoch' ydw i – mae gennym Defi Nant-yr-hwch, Defi Nantymaen, Defi Dolgoch a Defi Nantllwyd. (Nant yw'r enw Cymraeg ar 'stream'.)

Caiff y dŵr i gyd ei gario o ffynnon; wythnos yn ôl diffoddodd batri'r weierles a ddim ond ddoe y cafwyd cyfle i fynd ag ef i'w ailgyflenwi. Bu'r holl newyddion parthed y Rhyfel ar stop tan hynny. Y ceffyl yw'r unig ddull o deithio i fyny yma ac mae pawb, boed ifanc neu hen, yn marchogaeth.

Diwrnod pwysica'r flwyddyn yw diwrnod cneifio ym mis Mehefin. Cyrhaeddodd 120 o ffermwyr o bell ac agos i gneifio ein 3000 o ddefaid. Darparwyd hwy oll â brecwast, cinio (dau gwrs wedi'u coginio), te a swper. Ni welais erioed seigiau mor anferthol o fwyd. Craswyd deg ar hugain o dorthau yn yr hen ffwrn frics – a dyna i chi bethau mawr oedd y rheiny. Llenwyd y cwm bychan â sŵn brefiadau ŵyn anfodlon, snipian gwelleifiau dirifedi, chwerthin a storïau Cymraeg digri diddiwedd. Gadawyd tua thrigain o ferlod ar y bryn sy'n rhedeg yr holl ffordd at gefn y tŷ, a dyna grand yr edrychent.

Erbyn hyn mae bron i flwyddyn ers i mi ddod yma, ac mae pawb yn rhyfeddu'n barhaus y modd y llwyddais i 'sticio ati', fel y dywedant.

Cyn i mi ymuno â Byddin y Tir, gweithiais am bum mlynedd hir a diflas mewn swyddfa yn Brixton gyda 999 o fenywod cyflogedig eraill. Amgylchiadau fu'n gyfrifol am gadw fy nhrwyn ar y maen ffiaidd, er i mi drwy gydol yr amser freuddwydio am fryniau a sêr ac eangderau gweigion rhydd a diddiwedd; weithiau, wrth blygu dros lyfr cyfrifon yn y gwanwyn, medrwn yn wir arogli briallu fy nychymyg. Roeddwn yn Llundain gydol y bomio, eto i gyd ni wnaeth y bobol ffordd hyn erioed glywed seiren – mor rhyfedd yr ymddengys hyn wedi'r gaeaf hwnnw o wallgofrwydd.

Cymraes yw Mam, ond mae Nhad yn Sais, a magwyd fi mewn rhan Seisnig o Sir Fynwy. Gallai'r ardal honno fod yr ochr draw i'r cyhydedd o'i chymharu â'r rhan yma. Ni ddysgodd Mam unrhyw Gymraeg i ni, ond erbyn hyn llwyddais i godi cryn dipyn; mae hi'n iaith anodd, ran hynny.

Mae'n dal yn anfantais i raddau helaeth; heddiw, er enghraifft, gyda'r sgwrsio yn rhuglo rhwng y dynion. Mae'r ychydig y mentraf ei siarad yn swnio'n llawer mwy mynegiannol na'r Saesneg – mae'r wyth ci defaid (blewog a ffyddlon) sydd gennym i gyd yn deall Cymraeg, hefyd ein pump o wartheg godro (anghenion y cartref yw'r rhain gan na allwn, yn naturiol, werthu llaeth) fel rwy'n amau y mae ein tri llo bach er gwaetha'u henwau Seisnig – Snowball, Topsy a Punch. Y rhain yw fy hyfrydwch diddiwedd gyda'u llygaid mawr breuddwydiol a'u ffroenau meddal, ac maent yn gwrthod credu fod gwaelod i'r fwced pan fwydaf hwynt â llaeth sgim.

Yna'r ceffylau a ddofwyd – Glasbach, bychan a chadarn; Sam Bach, y ceffyl cyflymaf o fewn milltiroedd er gwaetha'i deirblwydd ar ddeg; Ceffyl Du; Ceffyl Lloyd (un gwyn) – y fath lawenydd diddiwedd! Byddant oll yn gwybod eu ffordd adre rhwng y mynyddoedd hyd yn oed wedi eu mygydu. Marchogais adre o Dregaron am hanner nos mewn tywyllwch fel y fagddu ar gefn Sam. Hedodd ymlaen fel saeth, er nad oedd gen i'r syniad lleiaf ble'r oeddem. Roedd hyn yn dipyn o brofiad. Teimlwn fel petawn i'n eistedd ar ei gefn gan ruthro drwy'r awyr ar y cyflymdra eithaf. (Doeddwn i ddim wedi marchogaeth erioed o'r blaen.)

Mae gan fy ysgrifbin hen arferiad o'm cipio i ffwrdd. Mae hen gloc tad-cu wedi tician at naw o'r gloch; mae ein cymdogion wedi gadael ac mae'r tân mawr, fel y mae'n dueddol o wneud, wedi chwalu'n sydyn.

Wrth fyfyrio dros fy mlwyddyn ddiwethaf o ryddid llawen, daw miloedd o feddyliau'n ôl i mi – llus mor fawr â phlwms; cudynnau enfawr o rug; torri mawn ym mis Mai; tua deugain o ŵn bach yn cyrraedd yn ysbeidiol; yr afon yn ddim byd namyn babi ar hyn o bryd, ond yn fwystfil rhuadwy llifadwy ym mis Medi. Caraf hwynt oll, a pheth hawdd, yntê, yw ysgrifennu am bethau a garwn?

Deallaf y caiff y llythyr hwn ei bostio fory gan fod yna angladd yn Nhregaron. Mae pob angladd Cymreig yn un cyhoeddus, felly bydd angen i Mr Jones drotian bant i fynd iddi. Fel arall, ni fyddech yn cael y llythyr hwn tan yr wythnos nesaf gan na fydd Simon Jones, y postmon, yn galw eto tan ddydd Gwener, ac mae hi bob amser yn rhy hwyr i bostio ar y noson honno yn Nhregaron.

O. N. Bydd o ddiddordeb i chi ddeall fod yna gapel bychan diarffordd yng nghalon y bryniau hyn. Bydd pawb yn marchogaeth yno ar y Sul, gan glymu eu ceffylau yn y stabal a godwyd yno'n arbennig yn gysylltiedig â'r eglwys; caiff unrhyw ŵn o ymdeimlad crefyddol sy'n dilyn eu perchnogion eu cau yno hefyd yn ystod y gwasanaeth. Bydd fforch diwnio'n taro'r pitsh ar gyfer canu emyn, ac yn aml bydd y clerigwyr difrif yn pregethu (yn Gymraeg, wrth gwrs) am bechodau dawnsio, y ddiod gadarn, theatrau a gyrfaoedd chwist. Ysywaeth, ni chawn ni unrhyw gyfle i foddio'n hunain yn y fath loddesta, ond aml a niferus yw'r 'Ameniau' o blith y gynulleidfa fugeiliol brin, ond eto sy'n argraffedig addas.

Caiff y pregethwyr gyfle i fwynhau lletygarwch penwythnosol ar y ffermydd yn eu tro, a chludir hwy i fyny o Dregaron ar ferlen. Pobl ofnus Duw, druain, y mwyafrif ohonynt heb farchogaeth erioed o'r blaen a heb fod o bell ffordd yn ddewr wrth iddynt gydio'n wyllt ym mwng eu meirch gan fynd yn eu blaen ar gyflymdra cerdded.

(Arwyddwyd) PAT WALTERS

Atodiad 2

Cyfeiriwyd eisoes at gartrefi a ddiflannodd oddi ar 1947. Roedd llawer o dyddynnod a ffermydd wedi diflannu o Gwm Tywi cyn hynny, ac mae nifer o'r enwau lleoedd a ddiflannodd ar y mynydd wedi hen fynd yn angof. Ond yn ei gyfrol *Cymdogaeth Soar y Mynydd*, aeth Evan Jones ati i gasglu enwau a oedd wedi goroesi yng Nghwm Tywi. Er hynny, os goroesodd yr enwau, diflannodd bron bob un o'r tai. Llwyddodd Evan Jones i ddod o hyd i dros ddau ddwsin o enwau. Mae sillafiad rhai o'r enwau'n amrywio ar lafar gwlad, ond dyma restr ohonynt:

Abercamddwr
Aberdeuddwr
Abergwrach (yn is na'r Fanog)
Brithdir
Brithdir Bach
Bronhelem
Brynbrith
Cwm Du
Dalar Wen
Dolgoch
Esgairgarthen
Fanog
Gribyn (mae'r tir o dan argae Brianne)
Hafdre
Llwynbrain
Moelprysgau
Nantneuadd
Nantstalwyn
Nantybleiddiast
Nantybont
Nant-yr-hwch
Pantclwydau
Penlan
Rhydtalog
Rhiwfelen
Troedrhiw-halog
Troedrhiw